# Tu

phrase

AA Publishing

# Contents

English edition prepared by First Edition Translations Ltd, Great Britain

Designed and produced by AA Publishing

First published in 1992 as Wat & Hoe Frans,
©Uitgeverij Kosmos bv - Utrecht/Antwerpen
Van Dale Lexicografie bv - Utrecht/Antwerpen

This edition © Automobile Association Developments Limited 1997
Reprinted Apr 2000
Reprinted Sep 2001
Reprinted Jul 2003
Reprinted Nov 2003

A CIP catalogue record for this book is available from the
British Library

Published by AA Publishing (a trading name of Automobile
Association Developments Limited, whose registered office is
Millstream, Maidenhead Road, Windsor, Berkshire SL4 5GD.
Registered number 1878835).

A01978

Typeset by Anton Graphics Ltd, Andover, Hampshire.

Printed and bound in Italy by Printer Trento srl

Cover photographs: Kapali Carsi, Istanbul, AA World Travel Library
(A. Souter); Military Museum Band, Istanbul, AA Photo Library
(A. Souter); The Blue Mosque, Istanbul, Powerstock Photo Library

Find out more about AA Publishing and the wide range of services the
AA provides by visiting our web site at www.theAA.com

# Introduction

● **Welcome to the AA's new Essential Phrase Books series, covering the most popular European languages and containing everything you'd expect from a comprehensive language series. They're concise, accessible and easy to understand, and you'll find them indispensable on your trip abroad.**

Each guide is divided into 15 themed sections and starts with a pronunciation table which explains the phonetic pronunciation to all the words and phrases you'll need to know for your trip, while at the back of the book is an extensive word list and grammar guide which will help you construct basic sentences in your chosen language.

Throughout the book you'll come across coloured boxes with a 🖐 beside them. These are designed to help you if you can't understand what your listener is saying to you. Hand the book over to them and encourage them to point to the appropriate answer to the question you are asking.

Other coloured boxes in the book - this time without the symbol - give alphabetical listings of themed words with their English translations beside them.

For extra clarity, we have put all English words and phrases in black, foreign language terms in red and their phonetic pronunciation in italic.

This phrase book covers all subjects you are likely to come across during the course of your visit, from reserving a room for the night to ordering food and drink at a restaurant and what to do if your car breaks down or you lose your traveller's cheques and money. With over 2,000 commonly used words and essential phrases at your fingertips you can rest assured that you will be able to get by in all situations, so let the Essential Phrase Book become your passport to a secure and enjoyable trip!

# Pronunciation table

The pronunciation provided should be read as if it were English,
bearing in mind the following main points:

## Consonants

The Turkish ğ (soft g) is not pronounced, but it slightly lengthens
the preceding vowel; it is represented as a colon(:).
Mostly, **h** is pronounced as in English, but in some words, there is a
different, slightly guttural h sound. This is shown as **H**.
The Turkish **r** is slightly rolled, *and always audibly pronounced*. As
a reminder that it should be pronounced every time, when it occurs
in the middle or at the end of a word, it is written as **R**.
ç is like the English **ch**.
Ş is the same as **sh** in English.
j is given as **zh**.

Double consonants in Turkish (as in **dükkan**) take twice as long to
say as single consonants. The effect is a little like saying them
twice. In the transliterated phrases, words with double consonants
have been hyphenated as a reminder (eg **res-sam**).

## Vowels

**a**, **e**, **i**, and **o** are pronounced very much as they are in English.
Please note that a capital I has a dot over the top like this: **İ**. A
capital **I** without a dot is the upper case form of ı (see below).
**u** is almost exactly like the English sound **oo**.
ı is pronounced rather like the English sound **er** as in 'letter', or the
sound **uh**. In the transcriptions it is given as **uh**.
ü is given as **ew**.
ö is transcribed here as **ur**, with a small *r*. *Do not confuse this with
the slightly rolled consonant r (shown as **R** in the middle and at the
end of words).*

Vowel blends **ai** and **ay** are pronounced like **i** as in 'side'. The sym-
bol **í** is used to represent this sound.

As mentioned above, hyphens have been used to separate double
consonants (which are pronounced separately). In other places,
hyphens are also used to separate strings of letters which might
otherwise be misread (eg **adaya** is read as ada-ya, not aday-a).

## Stress

Turkish words are mostly very lightly stressed – usually on the last
syllable. The commonest exception comes with verbs containing
the negative *mi* suffix in them, where the stress is thrown back onto
the syllable before the **mi**.

Place names have the stress on the first syllable (except for Antalya
and Istanbul, where it is on the middle syllable). However, some
foreign loan-words (Arabic and Persian) do not conform to Turkish
rules at all, and here the stress is shown with bold lettering.

# Useful lists

# **U**seful lists

## **1 T**oday or tomorrow?

| | |
|---|---|
| What day is it today? \_\_\_\_\_ | Bugün günlerden ne? |
| | *boogewn gewnleRden neh?* |
| Today's Monday_____ | Bugün günlerden pazartesi |
| | *boogewn gewnleRden pazaRtesi* |
| – Tuesday_____ | Bugün günlerden salı |
| | *boogewn gewnleRden saluh* |
| – Wednesday _____ | Bugün günlerden çarşamba |
| | *boogewn gewnleRden chaRshamba* |
| – Thursday_____ | Bugün günlerden perşembe |
| | *boogewn gewnleRden peRshembeh* |
| – Friday_____ | Bugün günlerden cuma |
| | *boogewn gewnleRden jooma* |
| – Saturday _____ | Bugün günlerden cumartesi |
| | *boogewn gewnleRden joomaRtesi* |
| – Sunday _____ | Bugün günlerden pazar |
| | *boogewn gewnleRden pazaR* |
| in January _____ | ocakta |
| | *ojakta* |
| since February _____ | şubattan beri |
| | *shoobat-tan beRi* |
| in spring_____ | ilkbaharda |
| | *ilkba-haRda* |
| in summer_____ | yazın/yazları |
| | *yazuhn/yazlaRuh* |
| in autumn _____ | sonbaharda |
| | *sonba-haRda* |
| in winter_____ | kışın/kışları |
| | *kuhshuhn/kuhshlaRuh* |
| 1997_____ | bin dokuz yüz doksan yedi |
| | *bin dokooz yewz doksan yedi* |
| the twentieth century \_\_\_\_\_ | XX. (yirminci) yüzyıl |
| | *yiRminji yewzyuhl* |
| What's the date today? \_\_\_\_ | Bugün ayın kaçı? |
| | *boogewn ayuhn kachuh?* |
| Today's the 24th_____ | Bugün ayın 24'ü |
| | *boogewn ayuhn yiRmi durRdewnjew* |
| Monday 3 November _____ 1998 | Pazartesi, 3 Kasım 1998 |
| | *pazaRtesi, ewch kasuhm 1998* |
| in the morning _____ | sabahleyin |
| | *sabaHleyin* |
| in the afternoon_____ | öğleden sonra |
| | *urleden sonRa* |
| in the evening _____ | akşamleyin |
| | *akshamleyin* |
| at night_____ | geceleyin |
| | *gejeleyin* |
| this morning _____ | bu sabah |
| | *boo sabaH* |
| this afternoon_____ | bugün öğleden sonra |
| | *boogewn ur:leden sonRa* |
| this evening _____ | bu akşam |
| | *boo aksham* |

| tonight | bu gece |
| --- | --- |
| | *boo gejeh* |
| last night | dün gece |
| | *dewn gejeh* |
| this week | bu hafta |
| | *boo hafta* |
| next month | gelecek ay |
| | *gelejek í* |
| last year | geçen sene |
| | *gechen seneh* |
| next... | gelecek... |
| | *gelejek...* |
| in...days/weeks/ | ...gün/hafta/ay/sene sonra |
| months/years | *...gewn/hafta/i/seneh sonRa* |
| ...weeks ago | ...hafta önce |
| | *...hafta urnjeh* |
| day off | tatil günü |
| | *tatil gewnewĕ* |

 **.2 B**ank holidays

● **Public** holidays and **religious** observance:
**Public holidays**

| 1 January | Yılbaşı (New Year) |
| --- | --- |
| 23 April | Ulusal Egemenlik ve Çocuk Bayramı (National Sovereignty and Children's Day) |
| 19 May | Gençlik ve Spor Bayramı (Young People's and Sports Day) |
| 30 August | Zafer Bayramı (Victory Day) |
| 29 October | Cumhuriyet Bayramı (Republic Day) |

**Major Religious Festivals**

The *Şeker Bayramı* (the Feast of Breaking Fast) is a three-day festival marking the end of Ramadan. Its date each year varies with the timing of Ramadan. Information on the precise date should be readily available before you travel.

The *Kurban Bayramı* (the Feast of Sacrifice) follows two months later, and is a four-day celebration which traditionally has been associated with the sacrifice of a ram.

Shops, banks and offices are closed on all these days.

If at any time you should wish to enter a mosque during your visit, be ready to remove your shoes at the entrance. Women should also cover their heads (a headscarf can often be borrowed from the mosque itself). Both shorts and short skirts are inappropriate.

*You should also without fail remove your shoes before entering a private house.*

**.3 W**hat time is it?

| What time is it? | Saat kaç? |
| --- | --- |
| | *saht kach?* |
| It's nine o'clock | Saat dokuz |
| | *saht dokooz* |
| – five past ten | Saat onu beş geçiyor |
| | *saht onoo besh gechiyoR* |
| – a quarter past eleven | Saat on biri çeyrek geçiyor |
| | *saht on biRi cheyrek gechiyoR* |

**Useful lists**

| | | |
|---|---|---|
| – twenty past twelve | Saat on ikiyi yirmi geçiyor | *saht on ikiyi yiRmi gechiyoR* |
| – half past one | Saat bir buçuk | *saht biR boochook* |
| – twenty–five to three | Saat üçe yirmi beş var | *saht ewcheh yiRmi besh vaR* |
| – a quarter to four | Saat dörde çeyrek var | *saht durRdeh cheyRek vaR* |
| – ten to five | Saat beşe on var | *saht besheh on vaR* |
| – twelve noon | Öğlen saat on iki | *ur:len saht on iki* |
| – midnight | Gece on iki | *gejeh on iki* |
| half an hour | yarım saat | *yaRuhm saht* |
| What time? | Saat kaçta? | *saht kachta?* |
| What time can I come round? | Saat kaçta uğrayayım? | *saht kachta u:Ra-ya-yuhm?* |
| At... | Saat...de | *saht...deh* |
| After... | den...sonra | *den...sonRa* |
| Before... | den...önce | *den...urnjeh* |
| Between...and... | ...le...arası | *...ileh...aRasuh* |
| From...to... | ...den...kadar | *...den...kadaR* |
| In...minutes | ...dakika sonra | *...dakika sonRa* |
| – an hour | ...saat sonra | *...saht sonRa* |
| – a quarter of an hour | On beş dakika sonra | *on besh dakika sonRa* |
| – three quarters of an hour | Kırk beş dakika sonra | *kuhRk besh dakika sonRa* |
| early/late | çok erken/geç | *chok eRken/gech* |
| on time | zamanında | *zamanuhnda* |
| summertime | yaz mevsimi | *yaz mevsimi* |
| wintertime | kış mevsimi | *kuhsh mevsimi* |

## 1 .4 One, two, three...

| | | |
|---|---|---|
| 0 | sıfır | *suhfuhR* |
| 1 | bir | *biR* |
| 2 | iki | *iki* |
| 3 | üç | *ewch* |
| 4 | dört | *durRt* |
| 5 | beş | *besh* |

| | | |
|---|---|---|
| 6 | altı | *altuh* |
| 7 | yedi | *yedi* |
| 8 | sekiz | *sekiz* |
| 9 | dokuz | *dokooz* |
| 10 | on | *on* |
| 11 | on bir | *on biR* |
| 12 | on iki | *on iki* |
| 13 | on üç | *on ewch* |
| 14 | on dört | *on durRt* |
| 15 | on beş | *on besh* |
| 16 | on altı | *on altuh* |
| 17 | on yedi | *on yedi* |
| 18 | on sekiz | *on sekiz* |
| 19 | on dokuz | *on dokooz* |
| 20 | yirmi | *yiRmi* |
| 21 | yirmi bir | *yiRmi biR* |
| 22 | yirmi iki | *yiRmi iki* |
| 30 | otuz | *otooz* |
| 31 | otuz bir | *otooz biR* |
| 32 | otuz iki | *otooz iki* |
| 40 | kırk | *kuhRk* |
| 50 | elli | *el-li* |
| 60 | altmış | *altmuhsh* |
| 70 | yetmiş | *yetmish* |
| 80 | seksen | *seksen* |
| 90 | doksan | *oksan* |
| 100 | yüz | *yewz* |
| 101 | yüz bir | *yewz biR* |
| 110 | yüz on | *yewz on* |
| 120 | yüz yirmi | *yewz yiRmi* |
| 200 | iki yüz | *iki yewz* |
| 300 | üç yüz | *ewch yewz* |
| 400 | dört yüz | *durRt yewz* |
| 500 | beş yüz | *besh yewz* |
| 600 | altı yüz | *altuh yewz* |
| 700 | yedi yüz | *yedi yewz* |
| 800 | sekiz yüz | *sekiz yewz* |
| 900 | dokuz yüz | *dokooz yewz* |
| 1000 | bin | *bin* |
| 1100 | bin yüz | *bin yewz* |
| 2000 | iki bin | *iki bin* |
| 10,000 | on bin | *on bin* |
| 100,000 | yüz bin | *yewz bin* |
| 1,000,000 | milyon | *mil-yon* |
| | | |
| 1st | birinci | *biRinji* |
| 2nd | ikinci | *ikinji* |
| 3rd | üçüncü | *ewchewnjew* |
| 4th | dördüncü | *durRdewnjew* |
| 5th | beşinci | *beshinji* |
| 6th | altıncı | *altuhnjuh* |
| 7th | yedinci | *yedinji* |
| 8th | sekizinci | *sekizinji* |
| 9th | dokuzuncu | *dokoozoonjoo* |
| 10th | onuncu | *onoonjoo* |
| 11th | on birinci | *on biRinji* |

| | | |
|---|---|---|
| 12th _____ | on ikinci | *on ikinji* |
| 13th _____ | on üçüncü | *on ewchewnjew* |
| 14th _____ | on dördüncü | *on durRdewnjew* |
| 15th _____ | on beşinci | *on beshinji* |
| 16th _____ | on altıncı | *on altuhnjuh* |
| 17th _____ | on yedinci | *on yedinji* |
| 18th _____ | on sekizinci | *on sekizinji* |
| 19th _____ | on dokuzuncu | *on dokoozoonjoo* |
| 20th _____ | yirminci | *yiRminji* |
| 21st _____ | yirmi birinci | *yiRmi biRinji* |
| 22nd _____ | yirmi ikinci | *yiRmi ikinji* |
| 30th _____ | otuzuncu | *otoozoonjoo* |
| 100th _____ | yüzüncü | *yewzewnjew* |
| 1000th _____ | bininci | *bininji* |

| | |
|---|---|
| once _____ | bir kere |
| | *biR keReh* |
| twice _____ | iki kere |
| | *iki keReh* |
| double _____ | iki katı |
| | *iki katuh* |
| triple _____ | üç katı |
| | *ewch katuh* |
| half _____ | yarısı |
| | *yaRuhsuh* |
| a quarter _____ | dörtte biri |
| | *durRt-teh biRi* |
| a third _____ | üçte biri |
| | *ewchteh biRi* |
| a couple, a few, some _____ | bir çift, birkaç, bazı |
| | *biR chift, biRkach, bazuh* |

| | |
|---|---|
| 2+4=6 _____ | iki artı dört eşittir altı |
| | *iki aRtuh durRt eshit-tiR altuh* |
| 4-2=2 _____ | dört eksi iki eşittir iki |
| | *durRt eksi iki eshit-tiR iki* |
| 2x4=8 _____ | iki çarpı dört eşittir sekiz |
| | *iki chaRpuh durRt eshit-tiR sekiz* |
| 4÷2=2 _____ | dört bölü iki eşittir iki |
| | *durRt burlew iki eshit-tiR iki* |
| odd/even _____ | tek/çift |
| | *tek/chift* |
| total _____ | toplam |
| | *toplam* |
| 6x9 _____ | altı çarpı dokuz |
| | *altuh chaRpuh dokooz* |

## 🔵 .5 The weather

| | |
|---|---|
| Is the weather going to be good/bad? _____ | Hava güzel mi/kötü mü olacak? |
| | *hava gewzel mi/kurtew mew olajak?* |
| Is it going to get colder/hotter? _____ | Hava soğuk mu/sıcak mı olacak? |
| | *hava so:ook moo/suhjak muh olajak?* |
| What temperature is it going to be? _____ | Hava kaç derece olacak? |
| | *hava kach deRejeh olajak?* |
| Is it going to rain? _____ | Yağmur mu yağacak? |
| | *ya:mooR moo ya:ajak?* |

| | |
|---|---|
| Is there going to be a _____ storm? | Hava fırtınalı mı olacak? |
| | *hava fuhRtuhnaluh muh olajak?* |
| Is it going to snow? _____ | Kar mı yağacak? |
| | *kahR muh ya:ajak?* |
| Is it going to freeze? _____ | Don mu olacak? |
| | *don moo olajak?* |
| Is the thaw setting in? _____ | Buzlar mı eriyecek? |
| | *boozlaR muh eRiyejek?* |
| Is it going to be foggy? _____ | Hava sisli mi olacak? |
| | *hava sisli mi olajak?* |
| Is there going to be a _____ thunderstorm? | Fırtına mı çıkacak? |
| | *fuhRtuhna muh chuhkajak?* |
| The weather's changing ___ | Hava değişiyor |
| | *hava de:ishiyoR* |
| It's cooling down _____ | Hava soğuyor |
| | *hava so:ooyor* |
| What's the weather _____ going to be like today/ tomorrow? | Bugün/yarın hava nasıl olacak? |
| | *Boogewn/yaruhn hava nasuhl olajak?* |

| | | |
|---|---|---|
| aniden şiddetlenen rüzgar | güneşli | sağanak yağış |
| **sudden squall** | **sunny** | **heavy downpour** |
| az bulutlu | güzel | serin |
| **almost cloudless** | **beautiful** | **cool** |
| boğucu sıcaklık | hafif/şiddetli rüzgar | sıcak |
| **stifling heat** | **light/strong wind** | **hot** |
| bulut | ılımlı | sıcak hava dalgası |
| **cloud** | **moderate** | **heat wave** |
| bunaltıcı | kar | (sıfırın altında/üstünde) |
| **oppressive** | **snow** | ...derece |
| çok bulutlu | kasırga | ...degrees below/above |
| **very cloudy** | **cyclone,** | zero |
| dolu | hurricane | sis |
| **hail** | kırağı | **fog** |
| don | **hoar frost** | yağmur |
| **ice** | parçalı bulutlu | **rain** |
| fırtına | **with patchy cloud** | yağmurlu |
| **storm** | rüzgar | **rainy** |
| fırtınalı | **wind** | |
| **stormy** | rüzgarlı | |
| | **windy** | |

 **.6 H**ere, there...

*See also 5.1 Asking for directions*

| | |
|---|---|
| here/there _____ | burada/orada |
| | *booRada/oRada* |
| somewhere/nowhere _____ | herhangi bir yerde/hiç bir yerde |
| | *heRhangi biR yeRdeh/hich biR yeRdeh* |
| everywhere _____ | her yerde |
| | *heR yeRdeh* |
| far away/nearby _____ | uzak/yakın |
| | *oozak/yakuhn* |

13

**Useful lists**

**1**

| right/left | sağ/sol |
| | *sa:/sol* |
| to the right/left of | sağında/solunda |
| | *sa:uhnda/soloonda* |
| straight ahead | doğru |
| | *do:Roo* |
| via | ...yoluyla |
| | *...yolooyla* |
| in | ...içine/içinde |
| | *...ichineh/ichindeh* |
| on | ...üzerine/üzerinde |
| | *...ewzeRineh/ewzeRindeh* |
| under | ...altına/altında |
| | *...altuhna/altuhnda* |
| against | ...karşı |
| | *...kaRshuh* |
| opposite | karşısında |
| | *kaRshuhsuhnda* |
| next to | ...yanında |
| | *...yanuhnda* |
| near | ...yakın |
| | *...yakuhn* |
| in front of | ...önünde |
| | *...urnewndeh* |
| in the centre | ortada |
| | *oRtada* |
| forward | öne |
| | *urneh* |
| down | aşağı (aşağıya) |
| | *asha:uh (asha:uh-ya)* |
| up | yukarı (yukarıya) |
| | *yookaRuh (yookaRuh-ya)* |
| inside | içeri (içeriye) |
| | *icheRi (icheRiyeh)* |
| outside | dışarı (dışarıya) |
| | *duhshaRuh (duhshaRuh-ya)* |
| behind | arka (arkaya) |
| | *aRka (aRka-ya)* |
| at the front | ön tarafta |
| | *urn taRafta* |
| at the back | arka tarafta |
| | *aRka taRafta* |
| in the north | kuzeyde |
| | *koozeydeh* |
| to the south | güneye |
| | *gewneyeh* |
| from the west | batıdan |
| | *batuhdan* |
| from the east | doğudan |
| | *do:oodan* |
| ...of | ...de/da |
| | *...-deh/-da* |

14

**See also 5.4 Traffic signs**

| | | |
|---|---|---|
| açık/kapalı | fotoğraf çekmek | pasaj |
| **open/closed** | yasaktır | **arcade** |
| acil çıkış | **no photographs** | peron |
| **emergency exit** | giriş | **platform** |
| açılış saatleri | **entrance** | PTT |
| **opening hours** | girmek yasaktır | **PTT (main post office** |
| asansör | **no entry, no admittance** | **and public** |
| **lift** | gişe, vezne | **telephones)** |
| ateş yakmak yasaktır | **pay here** | resepsiyon |
| **no open fires** | istasyon | **reception** |
| bayanlar tuvaleti | **station** | satılık |
| **ladies toilet** | itiniz/çekiniz | **for sale** |
| bozuk | **push/pull** | seyahat acentası |
| **out of order** | kalkış | **travel agent** |
| çay bahçesi | **departure** | sigara içmek yasaktır |
| **tea garden** | kamping | **no smoking** |
| çıkış | **camping, camp-site** | tehlike |
| **way out** | karakol | **danger** |
| danışma, enformasyon | **police station** | tuvaletler |
| **information** | kasa | **toilets** |
| dikkat | **pay here** | vestiyer |
| **take care, beware** | ...kat | **cloakroom** |
| dikkat köpek var | **...floor** | yangın merdiveni |
| **beware of the dog** | kiralık | **fire escape** |
| dolu | **for hire** | yangın tehlikesi |
| **full** | merdiven | **danger - fire** |
| durak | **stairs** | yerlere tükürmeyiniz |
| **(bus) stop** | merkez | **no spitting** |
| emanet | **centre** | yüksek voltaj |
| **left luggage** | otel | **high voltage** |
| erkekler tuvaleti | **hotel** | yürüyen merdiven |
| **gentlemen's toilet** | pansiyon | **escalator** |
| | **bed and breakfast** | |

## .8 Telephone alphabet

| | | | |
|---|---|---|---|
| a | *ah* | Adana | *adana* |
| b | *beh* | Bursa | *booRsa* |
| c | *jeh* | Cide | *jideh* |
| ç | *cheh* | Çanakkale | *chanak- kaleh* |
| d | *deh* | Denizli | *denizli* |
| e | *eh* | Edirne | *ediRneh* |
| f | *feh* | Fethiye | *fet-hiyeh* |
| g | *geh* | Giresun | *giResoon* |
| ğ | yoomooshak geh (no Turkish words begin with ğ) | | |
| h | *heh* | Hatay | *hatí* |
| i | *i* | İzmir | *izmiR* |
| ı | *uh* | Isparta | *uhspaRta* |

| | | | |
|---|---|---|---|
| l | *leh* | Lüleburgaz | *lewlebooRgaz* |
| m | *meh* | Malatya | *malatya* |
| n | *neh* | Nevşehir | *nevshe-hiR* |
| o | *o* | Ordu | *oRdoo* |
| ö | *ur* | Ören | *urRen* |
| p | *peh* | Pamukkale | *pamook-kaleh* |
| r | *reh* | Rize | *rizeh* |
| s | *seh* | Sinop | *sinop* |
| ş | *sheh* | Şirvan | *shiRvan* |
| t | *teh* | Tokat | *tokat* |
| u | *oo* | Urfa | *ooRfa* |
| ü | *ew* | Üsküp | *ewskewp* |
| v | *veh* | Van | *van* |
| y | *yeh* | Yozgat | *yozgat* |
| z | *zeh* | Zonguldak | *zongooldak* |

## 1.9 Personal details

| | |
|---|---|
| surname_____ | soyadı<br>*soy-aduh* |
| forename(s)_____ | adı<br>*aduh* |
| initials_____ | ismin baş harfleri<br>*ismin bash haRfleRi* |
| address (street/number) ___ | adres (sokak/numara)<br>*adRes (sokak/noomaRa)* |
| post code/town _____ | posta kodu/oturduğu yer<br>*posta kodoo/otooRdoo:oo yeR* |
| sex (male/female) _____ | cinsiyeti (erkek, kadın)<br>*jinsiyeti (eRkek/kaduhn)* |
| nationality _____ | uyruğu<br>*ooyRoo:oo* |
| date of birth _____ | doğum tarihi<br>*do:oom tahRi-hi* |
| place of birth _____ | doğum yeri<br>*do:oom yeRi* |
| occupation_____ | mesleği<br>*mesle:i* |
| married/single/divorced____ | evli/bekar/boşanmış<br>*evli/bekahR/boshanmuhsh* |
| widowed _____ | dul<br>*dool* |
| (number of) children _____ | çocukları (sayısı)<br>*chojooklaRuh (sa-yuhsuh)* |
| passport/identity _____<br>card/driving licence<br>number | pasaport/ehliyet numarası<br>*pasapoRt/eHliyet noomaRasuh* |
| place and date of issue ___ | verildiği tarih ve yer<br>*veRildi:i taRiH veh yeR* |

# Courtesies

## 2 Courtesies

● Greetings are very popular, everyone is asked individually if they're all right. When introduced people shake hands, when they part they also shake hands.
If they know each other people kiss on both cheeks (usually man to man, woman to woman).

## 2.1 Greetings

| | |
|---|---|
| Hello, Mr John Smith | Merhaba John Bey<br>*meR-haba John Bey* |
| Hello, Mrs Barbara Jones | Merhaba Barbara Hanim<br>*meR-haba, Barbara Hanuhm* |
| Hello, Peter | Merhaba, Peter<br>*meR-haba, Peter* |
| Hi, Helen | Selam, Helen<br>*selam, Helen* |
| Good morning, madam | Günaydın hanımefendi<br>*gewníduhn hanuhmefendi* |
| Good afternoon, sir | İyi günler beyefendi<br>*iyi gewnleR bey-efendi* |
| Good evening | İyi akşamlar<br>*iyi akshamlaR* |
| How are you? | Nasılsınız, iyi misiniz?<br>*nasuhlsuhnuhz, iyi misiniz?* |
| Fine, thank you, and you? | Teşekkür ederim. Siz nasılsınız?<br>*teshek-kewR edeRim. siz nasuhlsuhnuhz?* |
| Very well | Çok iyiyim, teşekkür ederim<br>*chok iyiyim, teshek-kewR edeRim* |
| Not very well | İyi değilim<br>*iyi de:ilim* |
| Not too bad | İdare eder<br>*idaReh edeR* |
| I'd better be going | Ben gideyim artık<br>*ben gideyim aRtuhk* |
| I have to be going | Gitmek zorundayım. Beni bekliyorlar<br>*gitmek zoRoonda-yim. beni bekli-yoRlaR* |
| Someone's waiting for me Bye! | Görüşürüz!<br>*gurRewshewRewz!* |
| Goodbye | Güle güle/Allaha ısmarladık<br>*gewleh gewleh/al-laha uhsmaRladuhk* |
| See you soon | görüşmek üzere<br>*gurRewshmek ewzeReh* |
| See you later | Sonra görüşmek üzere<br>*sonRa gurRewshmek ewzeReh* |
| See you in a little while | En kısa zamanda görüşmek üzere<br>*en kuhsa zamanda gurRewshmek ewzeReh* |
| Sleep well | İyi uykular<br>*iyi ooykoolaR* |
| Good night | İyi geceler<br>*iyi gejeleR* |
| All the best | Sağlıcakla kalın<br>*sa:luhjakla kaluhn* |
| Have fun | İyi eğlenceler<br>*iyi e:lenjeleR* |

| Good luck | İyi şanslar |
|---|---|
| | *iyi shanslaR* |
| Have a nice holiday | İyi tatiller |
| | *iyi tatil-leR* |
| Have a good trip | İyi yolculuklar |
| | *iyi yoljoolooklaR* |
| Thank you, you too | Teşekkürler, size de |
| | *teshek-kewRleR, sizeh deh* |
| Say hello to...for me | e... selamlarımı söyleyin |
| | *selamlaRuhmuh suhy-leh-yin* |

 **.2 How to ask a question**

| Who? | Kim? |
|---|---|
| | *kim* |
| Who's that? | O kim? |
| | *o kim?* |
| What? | Ne? |
| | *neh?* |
| What's there to see here? | Burada görülecek ne var? |
| | *booRada gurRewlejek neh vaR?* |
| What kind of hotel is that? | O nasıl bir otel? |
| | *o nasuhl biR otel?* |
| Where? | Nerede? |
| | *neRedeh?* |
| Where's the toilet? | Tuvalet ne tarafta? |
| | *too-alet neh taRafta?* |
| Where are you going? | Nereye gidiyorsunuz? |
| | *neRe-yeh gidiyoRsoonooz?* |
| Where are you from? | Nerelisiniz? |
| | *neRelisiniz?* |
| How? | Nasıl? |
| | *nasuhl?* |
| How far is that? | Orası ne kadar uzak? |
| | *oRasuh neh kadaR oozak?* |
| How long does that take? | Ne kadar sürer? |
| | *neh kadaR sewReR?* |
| How long is the trip? | Yolculuk ne kadar sürer? |
| | *yoljoolook neh kadaR sewReR?* |
| How much? | Ne kadar? |
| | *neh kadaR?* |
| How much is this? | Bunun fiyatı ne kadar? |
| | *boonoon fi-yatuh neh kadaR?* |
| What time is it? | Saat kaç? |
| | *saht kach?* |
| Which? | Hangi? Hangileri? |
| | *hangi? hangileRi?* |
| Which glass is mine? | Hangi bardak benim? |
| | *hangi baRdak benim?* |
| When? | Ne zaman? |
| | *neh zaman?* |
| When are you leaving? | Yola ne zaman çıkıyorsunuz? |
| | *yola neh zaman chuhkuh-yoRsoonooz?* |
| Why? | Niçin? |
| | *nichin?* |
| Could you...me? | Bana...? |
| | *bana...?* |

| | |
|---|---|
| Could you help me, _____ please? | Bana yardım edebilir misiniz? *bana yaRduhm edebiliR misiniz?* |
| Could you point that_____ out to me? | Onu bana gösterebilir misiniz? *onoo bana gursteRebiliR misisniz?* |
| Could you come _____ with me, please? | Benimle gelebilir misiniz? *benimleh beRabeR gelebiliR misisniz?* |
| Could you..._____ | ...-ir misiniz?/mısınız? *...-iR misiniz?/muhsuhnuz?* |
| Could you reserve some ___ tickets for me, please? | Benim için birkaç bilet ayırır mısınız, lütfen? *benim ichin biRkach bilet í-uhRuhR muhsuhnnuhz?* |
| Do you know...? _____ | ...biliyor musunuz? *...biliyoR moosoonooz?* |
| Do you know another_____ hotel, please? | Başka bir otel biliyor musunuz? *bashka biR otel biliyoR moosoonooz?* |
| Do you have a...?_____ | ...var mı? *...vaR muh?* |
| Do you have a...for me? ___ | Benim için...var mı? *benim ichin...vaR muh?* |
| Do you have a _____ vegetarian dish, please? | Etsiz bir yemeğiniz var mı? *etsiz bir yeme:iniz vaR muh?* |
| I'd like... _____ | ...istiyorum *...istiyoRoom* |
| I'd like a kilo of apples, ___ please | Bir kilo elma istiyorum *biR kilo elma istiyoRoom* |
| Can I...?_____ | abilir/ebilir miyim? *-abiliR/-ebiliR miyim?* |
| Can I take this?_____ | Bunu alabilir miyim? *boonoo alabiliR miyim?* |
| Can I smoke here?_____ | Burada sigara içebilir miyim? *booRada sigaRa ichebiliR miyim?* |
| Could I ask you _____ something? | Bir şey sorabilir miyim? *BiR shey soRabiliR mi-yim?* |

## .3 How to reply

| | |
|---|---|
| Yes, of course_____ | Evet, tabii *evet tabee* |
| No, I'm sorry_____ | Hayır, özür dilerim *ha-yuhR urzewR dileRim* |
| Yes, what can I do _____ for you? | Evet, size nasıl yardımcı olabilirim? *evet, sizeh nasuhl yaRduhmjuh olabiliRim?* |
| Just a moment, please ____ | Bir saniye lütfen *biR sahniyeh lewtfen* |
| No, I don't have _____ time now | Hayır, şu anda hiç zamanım yok *ha-yiR shoo anda hich zamanuhm yok* |
| No, that's impossible _____ | Hayır, imkansız *ha-yuhR imkahnsuhz* |
| I think so _____ | Zannederim *zan-nedeRim* |
| I agree_____ | Bence de *benjeh deh* |
| I hope so too_____ | Umarım *oomaRuhm* |
| No, not at all_____ | Hayır *ha-yuhR* |
| No, no-one _____ | Hayır, hiç kimse *ha-yuhR hich kimseh* |

| No, nothing | Hayır, hiç bir şey |
| | *ha-yuhR hich biR shey* |
| That's (not) right | Doğru (doğru değil) |
| | *do:Roo (do:Roo de:il)* |
| I (don't) agree | Sizinle aynı fikirdeyim (fikirde değilim) |
| | *sizinleh ínuh fikiRdeyim (fikiRdeh de:ilim)* |
| All right | İyi |
| | *iyi* |
| Okay | Tamam |
| | *tamam* |
| Perhaps | Belki |
| | *belki* |
| I don't know | Bilmiyorum |
| | *bilmiyoRoom* |

## 2 .4 Thank you

| Thank you | Teşekkür ederim |
| | *teshek-kewR edeRim* |
| You're welcome | Bir şey değil |
| | *biR shey de:il* |
| Thank you very much | Çok teşekkür ederim |
| | *chok teshek-kewR edeRim* |
| Very kind of you | Çok naziksiniz |
| | *chok naziksiniz* |
| I enjoyed it very much | Benim için büyük bir zevkti |
| | *benim ichin bew-yewk biR zevkti* |
| Thank you for your trouble | Zahmet ettiniz, teşekkür ederim |
| | *zaHmet et-tiniz, teshek-kewR edeRim* |
| You shouldn't have | Bunu yapmamalıydınız |
| | *boonoo yapmamaluhy-duhnuhz* |
| That's all right | Hiç önemli değil |
| | *hich urnemli de:il* |

## 2 .5 Sorry

| Sorry! | Pardon! |
| | *paRdon!* |
| Excuse me | Özür dilerim |
| | *urzewR dileRim* |
| I'm sorry, I didn't know... | Özür dilerim, ... bilmiyordum |
| | *urzewR dileRim ... bilmiyoRdoom* |
| I do apologise | Affedersiniz |
| | *af-fedeRsiniz* |
| I'm sorry | Çok üzgünüm |
| | *chok ewzgewnewm* |
| I didn't do it on purpose, it was an accident | Kasten yapmadım, yanlışlıkla oldu |
| | *kasten yapmaduhm, yanluhshluhkla oldoo* |
| That's all right | Önemli değil |
| | *urnemli de:il* |
| Never mind | Boş ver |
| | *bosh veR* |
| It could've happened to anyone | Herkesin başına gelebilir |
| | *heRkesin bashuhna gelebiliR* |

## 2 .6 What do you think?

| English | Turkish / pronunciation |
|---|---|
| Which do you prefer?_____ | Neyi tercih edersiniz? *neyi teRji-hedeRsiniz?* |
| What do you think?_____ | Ne dersiniz? *neh deRsiniz?* |
| Don't you like dancing? ____ | Dans etmeyi sevmiyor musun? *dans etmeyi sevmiyoR moosoon?* |
| I don't mind_____ | Benim için fark etmez *benim ichin faRk etmez* |
| Well done!_____ | Bravo! *bRavo!* |
| Not bad!_____ | Fena değil! *fena de:il!* |
| Great! _____ | Şahane! *sha-haneh!* |
| Wonderful! _____ | Harika! *haRika!* |
| It's really nice here! _____ | Burası ne eğlenceli! *booRasuh neh e:lenjili!* |
| How nice! _____ | Ne hoş/güzel! *neh hosh/gewzel!* |
| How nice for you! _____ | Sizin için ne iyi! *sizin ichin neh iyi!* |
| I'm (not) very happy_____ with... | ...çok memnunum (memnun değilim) *...chok memnoonoom (memnoon de:ilim)* |
| I'm glad..._____ | ...memnun oldum *...memnoon oldoom* |
| I'm having a great time ____ | Çok eğleniyorum *chok e:leniyoroom* |
| I'm looking forward to it ___ | Sabırsızlıkla bekliyorum *sabuhRsuhzluhkla bekliyoRoom* |
| I hope it'll work out_____ | Umarım olur *oomaRuhm oloor* |
| That's ridiculous!_____ | Ne gülünç! *neh gewlewnch!* |
| That's terrible! _____ | Ne iğrenç! *neh i:Rench!* |
| What a pity! _____ | Ne yazık! *neh yazuhk!* |
| That's filthy! _____ | Ne pis! *ne pis!* |
| What a load of rubbish! ___ | Ne saçmalık! *neh sachmaluhk!* |
| I don't like..._____ | ...sevmiyorum *...sevmiyoRoom* |
| I'm bored to death _____ | Canım çok sıkılıyor *januhm chok suhkuhluhyoR* |
| I've had enough_____ | Bıktım *buhktuhm* |
| This is no good _____ | Bu böyle olmaz *boo buhyleh olmaz* |
| I was expecting _____ something completely different | Tamamen başka bir şey bekliyordum *tamahmen bashka biR shey bekliyoRdoom* |

# Conversation

# **C**onversation

## **3.1 I** beg your pardon?

| | |
|---|---|
| I don't speak any/_____ | ...konuşmasını bilmiyorum/...biraz biliyorum |
| I speak a little... | *...konooshmasuhnuh bilmiyoRoom/...biRaz biliyoRoom* |
| I'm English _____ | Ben İngilizim |
| | *ben ingilizim* |
| I'm Scottish _____ | Ben İskoçyalıyım |
| | *ben iskochyaluh-yuhm* |
| I'm Irish _____ | Ben İrlandalıyım |
| | *ben iRlandaluh-yuhm* |
| I'm Welsh _____ | Ben Gallerliyim |
| | *ben gal-leRliyim* |
| Do you speak _____ English/French/German? | İngilizce/Fransızca/Almanca konuşmasını biliyor musunuz? |
| | *ingilizje/fransuhzja/almanja konooshmasuhnuh biliyoR moosoonooz?* |
| Is there anyone who _____ speaks...? | ...konuşmasını bilen kimse var mı? |
| | *...konushmasuhnuh bilen kimseh var muh?* |
| I beg your pardon? _____ | Ne dediniz? |
| | *neh dediniz?* |
| I (don't) understand _____ | Sizi anlıyorum (anlamıyorum) |
| | *sizi anluhyoRoom (anlamuhyoRoom)* |
| Do you understand me? ___ | Beni anlıyor musunuz? |
| | *beni anluhyoR moosoonooz?* |
| Could you repeat that, _____ please? | Lütfen tekrar eder misiniz? |
| | *lewtfen tekRaR edeR misiniz?* |
| Could you speak more _____ slowly, please? | Biraz daha yavaş konuşabilir misiniz? |
| | *biRaz da-ha yavash konooshabiliR misiniz?* |
| What does that (word) _____ mean? | O/o sözcük ne demek? |
| | *o/o surzjewk neh demek?* |
| Is that similar to/the _____ same as...? | ...(hemen hemen) aynısı mı? |
| | *...(hemen hemen) ínuhsuh muh?* |
| Could you write that _____ down for me, please? | Onu benim için bir kağıda yazabilir misiniz? |
| | *onoo benim ichin biR ka:uhda yazabiliR misiniz?* |
| Could you spell that _____ for me, please? | Onu benim için heceleyebilir misiniz? |
| | *onoo benim ichin hejeleyebiliR misiniz?* |
| *(See 1.8 Telephone alphabet)* | |
| Could you point that _____ out in this phrase book, please? | Onu bana bu rehberde gösterebilir misiniz? |
| | *onoo bana boo reHbeRdeh gursteRebiliR misiniz?* |
| One moment, please, _____ I have to look it up | Bir saniye, sözcüğü aramam gerek |
| | *biR sahniyeh, surzjew:ew aRamam geRek* |
| I can't find the word/the ___ sentence | Sözcüğü/cümleyi bulamıyorum |
| | *surzjew:ew/jewmleyi boolamuhyoRoom* |
| How do you say _____ that in...? | ...ona ne diyorsunuz? |
| | *...ona neh diyoRsoonooz?* |
| How do you pronounce ____ that? | Onu nasıl telaffuz ediyorsunuz? |
| | *onoo nasuhl telaf-fooz ediyoRsoonooz* |

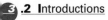

# 3.2 Introductions

| | | |
|---|---|---|
| May I introduce myself? ___ | Kendimi tanıtabilir miyim? | *kendimi tanuhtabiliR miyim?* |
| My name's... _____ | Benim adım... | *benim aduhm..* |
| I'm... _____ | Ben... | *ben...* |
| What's your name? _____ | Adınız ne? | *aduhnuhz neh?* |
| May I introduce...? _____ | Size...tanıtabilir miyim? | *size...tanuhtabiliR miyim?* |
| This is my wife/ _____ daughter/mother/girlfriend | Bu benim eşim/kızım/annem/kız arkadaşım. | *boo benim eshim/kuhzuhm/an-nem/kuhz aRkadashuhm* |
| my husband/son/ _____ father/boyfriend | Bu benim eşim/oğlum/babam/erkek arkadaşım. | *boo benim eshim/o:loom/babam/eRkek aRkadashuhm* |
| How do you do _____ | Memnum oldum | *memnoom oldoom* |
| Pleased to meet you _____ | (Tanıştığımıza) memnun oldum | *(tanuhshtuh:uhmuhza) memnoon oldoom* |
| Where are you from? _____ | Nerelisiniz? | *neRelisiniz?* |
| I'm from _____ England/Scotland/Ireland/ Wales | Ben İngilizim/İskoçyalıyım/İrlandalıyım/ Gallerliyim | *ben ingilizim/iskochyaluh-yuhm/iRlandaluh-yuhm/gal-leRliyim* |
| What city do you live in? ___ | Hangi şehirde oturuyorsunuz? | *hangi she-hiRdeh otooRooyoRsoonooz?* |
| ..., It's near... _____ | ..., ...yakın | *..., ...yakuhn* |
| Have you been here _____ long? | Uzun zamandan beri mi buradasınız? | *oozoon zamandan beRi mi booRadasuhnuhz?* |
| A few days _____ | Birkaç günden beri buradayım | *biRkach gewnden beRi booRada-yuhm* |
| How long are you _____ staying here? | Burada ne kadar kalacaksınız? | *booRada neh kadaR kalajaksuhnuhz?* |
| We're (probably) leaving _____ tomorrow/in two weeks | (Büyük bir olasılıkla) yarın/iki hafta sonra yola çıkacağız | *bewyewk biR olasuhluhkla yaRuhn/iki hafta sonRa yola chuhkaja:uhz* |
| Where are you staying? _____ | Nerede kalıyorsunuz? | *neRedeh kaluhyoRsoonooz?* |
| In a hotel/an apartment _____ | Bir otelde/apartman dairesinde | *biR otoldeh/apaRtaman diResindeh* |
| On a camp site _____ | Bir kampingde | *biR kampingdeh* |
| With friends/relatives _____ | Bir arkadaşın/ailenin yanında | *biR aRkadashuhn/ilenin yanuhnda* |
| Are you here on your _____ own/with your family? | Burada yalnız mısınız/ailenizle misiniz? | *booRada yalnuhz muhsuhnuhz/ilenizleh misiniz?* |
| I'm on my own _____ | Yalnızım | *yalnuhzuhm* |
| I'm with my _____ partner/wife/husband | Eşimleyim | *eshimleyim* |

25

Conversation

3

| English | Turkish / Pronunciation |
|---|---|
| – with my family | Ailemleyim |
| | *ílemleyim* |
| – with relatives | Akrabalarlayım |
| | *akRabalaRla-yuhm* |
| – with a boyfriend/girlfriend/ friends | Erkek arkadaşımlayım/kız arkadaşımlayım/arkadaşlarımlayım |
| | *eRkek aRkadashuhmla-yuhm/kuhz aRkadashuhmla-yuhm/aRkadashlaRuhmla-yuhm* |
| Are you married? | Evli misiniz? |
| | *evli misiniz?* |
| Do you have a steady boyfriend/girlfriend? | Erkek/kız arkadaşın var mı? |
| | *eRkek/kuhz aRkadashuhn vaR muh?* |
| That's none of your business | Sizi ilgilendirmez |
| | *sizi ilgilendiRmez* |
| I'm married | Evliyim |
| | *evliyim* |
| – single | Bekarım |
| | *be**kahR**uhm* |
| – separated | Eşimden ayrı yaşıyorum |
| | *eshimden íruh yashuhyoRoom* |
| – divorced | Boşandım |
| | *boshanduhm* |
| – a widow/widower | Dulum |
| | *dooloom* |
| I live alone/with someone | Yalnız/biriyle beraber yaşıyorum |
| | *yalnuhz/biRiyleh beRabeR yashuhyoRoom* |
| Do you have any children/grandchildren? | Çocuklarınız/torunlarınız var mı? |
| | *chojooklaRuhnuhz/toRoonlaRuhnuhz vaR muh* |
| How old are you? | Kaç yaşındasınız? |
| | *kach yashuhndasuhnuhz?* |
| How old is she/he? | O kaç yaşında? |
| | *o kach yashuhnda?* |
| I'm... | ...yaşındayım |
| | *...yashuhnda-yuhm* |
| She's/he's... | O...yaşında |
| | *o...yashuhnda* |
| What do you do for a living? | Ne iş yaparsınız? |
| | *neh ish yapaRsuhnuhz?* |
| I work in an office | Bir büroda çalışıyorum |
| | *biR bewRoda chaluhshuhyoRoom* |
| I'm a student/ I'm at school | Okuyorum |
| | *okooyoRoom* |
| I'm unemployed | İşsizim |
| | *ishsizim* |
| I'm retired | Emekliyim |
| | *emekliyim* |
| I'm on a disability pension | İş görmezlik sigortasından para alıyorum |
| | *ish gurRmezlik sigoRtasuhndan paRa aluhyoRoor* |
| I'm a housewife | Ev kadınıyım |
| | *ev kaduhnuh-yuhm* |
| Do you like your job? | İşinizi seviyor musunuz? |
| | *ishinizi seviyoR moosoonooz?* |
| Most of the time | Çoğu zaman |
| | *cho:oo zaman* |
| I usually do, but I prefer holidays | Genellikle seviyorum, ama tatil daha eğlenceli |
| | *genel-likleh seviyoRoom ama tatil da-ha e:lenjeli* |

## 3.3 Starting/ending a conversation

| | |
|---|---|
| Could I ask you _____ something? | Size bir şey sorabilir miyim? *sizeh biR shey soRabiliR miyim?* |
| Excuse me _____ | Özür dilerim *urzewR dileRim* |
| Excuse me, could you _____ help me? | Özür dilerim, bana yardım edebilir misiniz? *urzewR dileRim, bana yaRduhm edebiliR misiniz?* |
| Yes, what's the problem? _____ | Evet, sorun ne? *evet, soRun neh?* |
| What can I do for you? _____ | Size ne şekilde yardımcı olabilirim? *sizeh neh shekildeh yaRduhmjuh olabiliRim?* |
| Sorry, I don't have time _____ now | Kusura bakmayın, şu anda hiç zamanım yok *koosooRa bakma-yuhn, shoo anda hich zamanuhm yok* |
| Do you have a light? _____ | Ateşiniz var mı? *ateshiniz vaR muh?* |
| May I join you? _____ | Yanınıza oturabilir miyim? *yanuhnuhza otooRabiliR miyim?* |
| Could you take a _____ picture of me/us? Press this button | Resmimi/resmimizi çeker misiniz? Bu düğmeye basın *resmimi/resmimizi chekeR misiniz? bu dew:meyeh basuhn* |
| Leave me alone _____ | Beni rahat bırak *beni rahat buhRak* |
| Get lost _____ | Çekil git *chekil git* |
| Go away or I'll scream _____ | Gitmezseniz, bağırırım *gitmezseniz ba:uhRuhRuhm* |

## 3.4 Congratulations and condolences

| | |
|---|---|
| Happy birthday/many _____ happy returns | Doğum gününüz kutlu olsun *do:oom gewnewnewz kootloo olsoon* |
| Please accept my _____ condolences | Başınız sağ olsun *bashuhnuhz sa: olsoon* |
| I'm very sorry for you _____ | Sizin için çok üzgünüm *sizin ichin chok ewzgewnewm* |

## 3.5 A chat about the weather

*See also 1.5 The weather*

| | |
|---|---|
| It's so hot/cold today! _____ | Bugün hava ne kadar sıcak/soğuk! *boogewn hava neh kadaR suhjak/so:ook* |
| Nice weather, isn't it? _____ | Hava güzel, değil mi? *hava gewzel, de:il mi?* |
| What a wind/storm! _____ | Bu ne rüzgar/fırtına! *boo neh rewzgaR/fuhRtuhna!* |
| All that rain/snow! _____ | Bu ne yağmur/kar! *boo neh ya:mooR/kahR!* |
| All that fog! _____ | Bu ne sis! *boo neh sis!* |
| Has the weather been _____ like this for long here? | Hava uzun zamandan beri mi böyle? *hava oozoon zamandan beRi mi buhyleh?* |

27

| | |
|---|---|
| Is it always this hot/cold ___ here? | Burası her zaman mı bu kadar sıcak/soğuk? *booRasuh heR zaman muh boo kadaR suhjak/so:ook?* |
| Is it always this dry/wet___ here? | Burası her zaman mı bu kadar kurak/yağışlı? *booRasuh heR zaman muh boo kadaR kooRak/ya:uhshluh?* |

## 3.6 Hobbies

| | |
|---|---|
| Do you have any _____ hobbies? | Boş zamanlarınızı nasıl değerlendirirsiniz? *bosh zamanlaRuhnuhz nasuhl de:eRlendiRiRsiniz* |
| I like painting/_____ reading/photography/ DIY | Resim yapmayı/kitap okumayı/fotoğraf çekmeyi/ufak tefek tamir işleri ile uğraşmayı severim *urRgew urRmeyi/kitap okooma-yuh/foto:Raf chekmeyi/ufak tefek tahmir ishleRi ileh oo:Rashma-yuh seveRim* |
| I like music _____ | Müzik dinlemeyi severim *mewzik dinlemeyi seveRim* |
| I like playing the _____ guitar/piano | Gitar/piyano çalmayı severim *gitaR/piyano chalma-yuh seveRim* |
| I like going to the movies __ | Sinemaya gitmeyi severim *sinema-ya gitmeyi seveRim* |
| I like travelling/_____ sport/fishing/walking | Seyahat etmeyi/spor yapmayı/balık tutmayı/yürümeyi severim *seyahat etmeyi/spoR yapma-yuh/baluhk tootma-yuh/yewRewmeyi seveRim* |

## 3.7 Being the host(ess)

*See also 4 Eating out*

| | |
|---|---|
| Can I offer you a drink? ___ | Size içecek bir şey ikram edebilir miyim? *sizeh ichejek biR shey ikRahm edebiliR miyim?* |
| What would you like_____ to drink? | Ne içersiniz? *neh icheRsiniz?* |
| Something non-alcoholic,__ please | Alkolsüz bir şey, lütfen *alkolsewz biR shey, lewtfen* |
| Would you like a _____ cigarette/cigar/to roll your own? | Sigara/puro/sarma sigara içer misiniz? *sigaRa/pooRo/saRma sigaRa icheR misiniz?* |
| I don't smoke _____ | Sigara kullanmam *sigaRa kul-lanmam* |

## 3.8 Invitations

| | |
|---|---|
| Are you doing anything____ tonight? | Bu akşam meşgul müsünüz? *boo aksham meshgool mewsewnewz?* |
| Do you have any plans ___ for today/this afternoon/tonight? | Bugün/bugün öğleden sonra/bu akşam için planlarınız var mı? *boogewn/boogewn ur:leden sonRa/boo aksha. ichin planlaRuhnuhz vaR muh?* |
| Would you like to go _____ out with me? | Benimle çıkmak ister misiniz? *benimleh chuhkmak isteR misiniz?* |
| Would you like to go _____ dancing with me? | Benimle dansa gelmek ister misiniz? *benimleh dansa gelmek isteR misiniz?* |

| | |
|---|---|
| Would you like to have ____ lunch/dinner with me? | Benimle öğle yemeğe/akşam yemeğe çıkmak ister misiniz? |
| | *benimleh ur:leh yeme:eh/aksham yeme:eh chuhkmak isteR misiniz?* |
| Would you like to come____ to the beach with me? | Benimle plaja gelmek ister misiniz? |
| | *benimleh plazha gelmek isteR misiniz?* |
| Would you like to come____ into town with us? | Bizimle şehire inmek ister misiniz? |
| | *bizimleh sheh-hireh inmek isteR misiniz?* |
| Would you like to come____ and see some friends with us? | Bizimle arkadaşlara gelmek ister misiniz? |
| | *bizimleh aRkadashlaRa gelmek isteR misiniz?* |
| Shall we dance?_____ | Dans edelim mi? |
| | *dans edelim mi?* |
| sit at the bar? _____ | Bara geliyor musun? |
| | *baRa geliyoR moosoon?* |
| get something to drink? __ | Bir şeyler içmeye gidelim mi? |
| | *biR sheyleR ichmeyeh gidelim mi?* |
| go for a walk/drive?_____ | Biraz yürüyelim mi/arabayla gezelim mi? |
| | *biRaz yewRewyelim mi/aRabıla gezelim mi?* |
| Yes, all right _____ | Tamam, olur |
| | *tamam, olooR* |
| Good idea _____ | İyi fikir |
| | *iyi fikiR* |
| No (thank you) _____ | Hayır (teşekkür ederim) |
| | *ha-yuhR teshek-kewR edeRim* |
| Maybe later_____ | Belki daha sonra |
| | *belki da-ha sonRa* |
| I don't feel like it _____ | Canım istemiyor |
| | *januhm istemiyoR* |
| I don't have time _____ | Zamanım yok |
| | *zamanuhm yok* |
| I already have a date _____ | Başka bir randevum var |
| | *bashka biR randevoom vaR* |
| I'm not very good at_____ dancing/volleyball/ swimming | Ben dansta/voleybolda/yüzmede pek iyi değilim |
| | *dansta/voleybolda/yewzmedeh pek iyi de:ilim* |

## 3.9 Paying a compliment

| English | Turkish |
|---|---|
| You look wonderful! _____ | Sizi çok iyi gördüm! |
| | *sizi chok iyi gurRdewm!* |
| I like your car! _____ | Ne güzel araba! |
| | *neh gewzel aRaba!* |
| I like your ski outfit! _____ | Ne güzel kayak kıyafeti! |
| | *neh gewzel ka-yak kuh-yafeti!* |
| You're a nice boy/girl _____ | Çok iyi bir çocuksun/kızsın |
| | *chok iyi biR chojooksoon/kuhzsuhn* |
| What a sweet child! _____ | Ne şirin çocuk! |
| | *neh shiRin chojook!* |
| You're a wonderful _____ dancer! | Çok güzel dans ediyorsunuz! |
| | *chok gewzel dans ediyoRsoonooz!* |
| You're a wonderful _____ cook! | Çok güzel yemek pişiriyorsunuz! |
| | *chok gewzel yemek pishiRiyoRsoonooz!* |
| You're a terrific soccer _____ player! | Çok iyi futbol oynuyorsunuz! |
| | *chok iyi footbol oynooyoRsoonooz!* |

**Conversation**

**3**

| | |
|---|---|
| I like being with you _____ | Seninle beraber olmaktan hoşlanıyorum |
| | *seninleh beRabeR olmaktan hoshlanuhyoRoom* |
| I've missed you so much __ | Seni öyle özledim ki |
| | *seni uhyleh urzledim ki* |
| I dreamt about you _____ | Rüyamda seni gördüm |
| | *rew-amda seni gurRdewm* |
| I think about you all day ___ | Bütün gün seni düşünüyorum |
| | *bewtewn gewn seni dewshewnew-yoRoom* |
| You have such a sweet ____ smile | Çok tatlı gülüyorsun |
| | *chok tatluh gewlew-yoRsoon* |
| You have such beautiful ___ eyes | O kadar güzel gözlerin var ki |
| | *o kadaR gewzel gurzleRin vaR ki* |
| I'm in love with you _____ | Sana aşığım |
| | *sana ashuh:uhm* |
| I'm in love with you too __ | Ben de sana |
| | *ben deh sana* |
| I love you_____ | Seni seviyorum |
| | *seni seviyoRoom* |
| I love you too _____ | Ben de seni |
| | *ben deh seni* |
| I don't feel as strongly ____ about you | Bu duyguları sana karşı duymuyorum |
| | *boo dooygoolaRuh sana kaRshuh dooymoo-yoroom* |
| I already have a _____ boyfriend/girlfriend | Benim erkek arkadaşım/kız arkadaşım var |
| | *benim eRkek aRkadashuhm/kuhz aRkadashum vaR* |
| I'm not ready for that_____ | Henüz o noktaya gelmedim |
| | *henewz o nokta-ya gelmedim* |
| This is going too fast _____ for me | Her şey çok çabuk oluyor |
| | *heR shey chok chabook olooyoR* |
| Take your hands off me____ | Benden uzak dur |
| | *benden oozak door* |
| Okay, no problem _____ | Tamam, sorun değil |
| | *tamam soRoon de:il* |
| Will you stay with me _____ tonight? | Bu gece bende kalır mısın? |
| | *bu gejeh bendeh kaluhR muhsuhn?* |
| I'd like to go to bed_____ with you | Seninle sevişmek istiyorum |
| | *seninleh sevishmek istiyoRoom* |
| Only if we use a condom __ | Sadece prezervatif ile |
| | *sadejeh pReseRvatif ileh* |
| We have to be careful ____ about AIDS | Aids hastalığı yüzünden dikkatli olmamız gerekiyor |
| | *ehds hastaluh:uh yewzewnden dik-katluh olmamuhz geRekiyoR* |
| That's what they all say____ | Herkes aynı şeyi söylüyor |
| | *heRkes ínuh shey surlew-yor* |
| We shouldn't take any ____ risks | İşi şansa bırakmayalım |
| | *ishi shansa buhRakma-yaluhm* |
| Do you have a condom? ___ | Prezervatifin var mı? |
| | *pReseRvatifin vaR muh?* |
| No? In that case we _____ won't do it | Yok mu? O halde sevişemeyiz |
| | *yok moo? o haldeh sevishemeyiz* |

## 3.11 Arrangements

| | |
|---|---|
| When will I see you again? | Sizi tekrar ne zaman göreceğim?<br>*sizi tekRaR neh zaman gurReje:im?* |
| Are you free over the weekend? | Bu hafta sonu zamanınız var mı?<br>*boo hafta sonoo zamanuhnuhz vaR muh?* |
| What shall we arrange? | Nasıl yapalım?<br>*nasuhl yapaluhm?* |
| Where shall we meet? | Nerede buluşalım?<br>*neRedeh boolooshaluhm?* |
| Will you pick me/us up? | Beni/bizi alacak mısınız?<br>*beni/bizi alajak muhsuhnuhz?* |
| Shall I pick you up? | Sizi alayım mı?<br>*sizi ala-yuhm muh?* |
| I have to be home by... | Saat....evde olmam gerekiyor<br>*saht....evdeh olmam geRekiyoR* |
| I don't want to see you anymore | Sizi bir daha görmek istemiyorum<br>*sizi biR da-ha gurRmek istemiyoRoom* |

## 3.12 Saying goodbye

| | |
|---|---|
| Can I take you home? | Sizi evinize götürebilir miyim?<br>*sizi evinizeh gurtewRebiliR miyim?* |
| Can I write/call you? | Size mektup yazabilir miyim/telefon açabilir miyim?<br>*sizeh mektoop yazabiliR miyim/telefon achabiliR miyim?* |
| Will you write/call me? | Bana mektup yazar mısınız/telefon açar mısınız?<br>*bana mektoop yazaR muhsuhnuhz/telefon achaR muhsuhnuhz?* |
| Can I have your address/phone number? | Adresinizi/telefon numaranızı alabilir miyim?<br>*adResinizi/telefon noomaRasuhnuhzuh alabiliR miyim?* |
| Thanks for everything | Her şey için çok teşekkür ederim<br>*heR shey ichin chok teshek-kewR edeRim* |
| It was very nice | Her şey çok güzeldi<br>*heR shey chok gewzeldi* |
| Say hello to... | ...selamlarımı söyle<br>*...selamlaRuhmuh suhyleh* |
| All the best | Size her şeyin en iyisini dilerim<br>*sizeh heR sheyin en iyisini dileRim* |
| Good luck | İyi şanslar<br>*iyi shanslaR* |
| When will you be back? | Tekrar ne zaman geleceksiniz?<br>*tekRaR neh zaman gelejeksiniz?* |
| I'll be waiting for you | Sizi bekleyeceğim<br>*sizi bekleyeje:im* |
| I'd like to see you again | Sizi tekrar görmeyi çok isterim<br>*sizi tekRaR gurRmeyi chok isteRim* |
| I hope we meet again soon | Umarım en kısa zamanda tekrar görüşürüz<br>*oomaRuhm en kuhsa zamanda tekRaR gurRewshewRewz* |
| This is our address. If you're ever in the UK... | Bu bizim adresimiz. İngiltere'ye uğrarsanız...<br>*boo bizim adResimiz. ingilteRe'yeh oo:RaRsanuhz...* |
| ..You'd be more than welcome | Her zaman bekleriz<br>*heR zaman bekleRiz* |

# **E**ating out

# Eating out

**Mealtimes in Turkey** are as follows:

, *Kahvaltı* (breakfast) - any time between 7.30 and 10 am. Typically there will be owls of olives *(zeytin)* and pieces of cheese *(beyaz peynir)* for you to nibble. here will be bread *(ekmek)* with two or three types of jam *(reçel)* or honey *(bal)*. here may be spreading yoghurt *(süzme yoğurt)* – use it instead of butter, and ombine it with jam. Turkish tea *(çay)* is served black, but you can ask for it to e strong *(demli)* or weak *(açık)*. If you prefer, it can be drunk with lemon *imon)* on request.

, *Öğle yemeği* (lunch) – between 12.30 and 2.30 – often a hot meal, but lighter ฺan supper. It is often followed by Turkish coffee, which is very strong. This can e without sugar *(şekersiz or sade)*, very sweet *(şekerli)* or medium *(orta)*. If you refer just a little sugar, ask for *az şekerli*.

. *Akşam yemeği* is the main meal of the day and it can be as early as 7 pm or as ฺte as 10pm. It usually includes a very sweet pudding *(tatlı)* but if you prefer, ฺere is often fruit *(meyva)*. Try the melon – it can be delicious.

## 4 .1 On arrival

| English | Turkish |
|---|---|
| d like to book a table _____ for seven o'clock, please | Saat yedi için bir masa ayırtabilir miyim? *saht yedi ichin biR masa í-uhRtabiliR miyim?* |
| d like a table for two, _____ please | İki kişilik bir masa lütfen *iki kishilik biR masa lewtfen* |
| Ve've/we haven't booked __ | Yer ayırtmıştık (ayırtmamıştık) *yeR í-uhRtmuhshtuhk (i-uhRtmamuhshtuhk)* |
| s the restaurant open _____ yet? | Restoran açık mı? *restoRan achuhk muh?* |
| Vhat time does the _____ restaurant open/close? | Restoran saat kaçta açılıyor/kapanıyor? *restoRan saht kachta achuhluhyoR/kapanuhyoR?* |
| Can we wait for a table? ___ | Boş bir masa için bekleyebilir miyiz? *bosh biR masa ichin bekleyebiliR miyiz?* |
| )o we have to wait long? __ | Çok beklememiz gerekiyor mu? *chok beklememiz geRekiyoR moo?* |
| s this seat taken? _____ | Burası boş mu? *booRasuh bosh moo?* |
| Could we sit here/there? ___ | Buraya/oraya oturabilir miyiz? *booRa-ya/oRa-ya otooRabiliR miyiz?* |
| Can we sit by the_____ window? | Cam kenarına oturabilir miyiz? *jam kenahRuhna otooRabiliR miyiz?* |
| Can we eat outside? _____ | Dışarıda da yiyebilir miyiz? *duhshaRuhda da yiyebiliR miyiz?* |
| )o you have another _____ chair for us? | Bir sandalyeniz daha var mı? *biR sandal-yeniz da-ha vaR muh?* |

| | |
|---|---|
| Yer ayırtmış mıydınız? _____ | Do you have a reservation? |
| Adınız lütfen? _____ | What name, please? |
| Bu taraftan lütfen_____ | This way, please |
| Bu masa reserve edildi _____ | This table is reserved |
| On beş dakika sonra bir masa _____ boşalacak | We'll have a table free in fifteen minutes |
| Masa boşalana kadar barda _____ beklemek ister miydiniz? | Would you like to wait (at the bar)? |

Do you have a highchair? __ Çocuk için bir sandalyeniz var mı?
*chojook ichin biR sandal-yeniz vaR muh?*

Is there a socket for _____ Bu biberon ısıtıcısı için bir priziniz var mı?
this bottle-warmer? *boo bibeRon uhsuhtuhjuhsuh ichin biR pRizini.*
*vaR muh?*

Could you warm up _____ Bu biberonu/kavanozu ısıtabilir misiniz?
this bottle/jar for me? *boo bibeRonoo/kavanozoo uhsuhtabiliR misiniz*

Not too hot, please _____ Çok sıcak olmasın lütfen
*chok suhjak olmasuhn lewtfen*

Is there somewhere I _____ Bebeğin altını değiştirebileceğim bir yer var mı?
can change the baby's *bebe:in altuhnuh de:ishtiRebileje:im biR yeR*
nappy? *vaR muh?*

Where are the toilets? ____ Tuvalet ne tarafta?
*too:alet neh taRafta?*

## 4 .2 Ordering

Waiter! _____ Garson!
*gaRson!*

Madam! _____ Hanımefendi!
*hanuhmefendi!*

Sir! _____ Beyefendi!
*beyefendi!*

We'd like something to ____ Bir şeyler yemek/içmek istiyoruz
eat/a drink *biR sheyleR yemek/ichmek istiyoRooz*

Could I have a quick _____ Çabucak bir şeyler yiyebilir miyim?
meal? *chaboojak biR sheyleR yiyebiliR miyim?*

We don't have much _____ Fazla zamanımız yok
time *fazla zamanuhmuhz yok*

We'd like to have a _____ Önce bir şeyler içmek istiyoruz
drink first *uhnje biR sheyleR ichmek istiyoRooz*

Could we see the_____ Yemek listesini/şarap listesini rica edebilir
menu/wine list, please? miyim?
*yemek listesini/shaRap listesini rija edebiliR*
*miyim?*

Do you have a menu _____ İngilizce yemek listeniz var mı?
in English? *ingilizje yemek listeniz vaR muh?*

Do you have a dish_____ Günlük menünüz/turistik menünüz var mı?
of the day? *gewnlewk menewnewz/tooRistik menewnewz*
*vaR muh?*

We haven't made a_____ Henüz seçimimizi yapmadık
choice yet *henewz sechimimizi yapmaduhk*

What do you _____ Ne tavsiye edersiniz?
recommend? *neh tavsiyeh edeRsiniz?*

What are the specialities ___ Bu yörenin/restoranın spesyalitesi nedir?
of the region/the house? *boo yuhRenin/restoRanuhn spesyalitesi nediR*

I like strawberries/olives ___ Çileği/zeytini severim
*chile:i/zeytini seveRim*

I don't like meat/fish... _____ Balığı/eti/...sevmem
*baluh:uh/eti/...sevmem*

What's this?_____ Bu ne?
*boo neh?*

Does it have...in it? _____ İçinde...var mı?
*ichinde...vaR muh?*

What does it taste like? ____ Tadı neye benziyor?
*taduh neyeh benziyoR?*

34

| | |
|---|---|
| s this a hot or a _____ cold dish? | Bu yemek sıcak mı yoksa soğuk mu? *boo yemek suhjak muh yoksa so:ook moo?* |
| s this sweet? _____ | Bu yemek tatlı mı? *boo yemek tatluh muh?* |
| s this spicy? _____ | Bu yemek acı/baharatlı mı? *boo yemek ajuh/bahaRatluh muh?* |
| Do you have anything ____ else, please? | Başka bir yemeğiniz var mı? *bashka biR yeme:iniz vaR muh?* |
| 'm on a salt-free diet ____ | Tuzsuz yemek perhizindeyim *toozsooz yemek peRhizindeyim* |
| can't eat pork _____ | Domuz eti yemem yasak *domooz eti yemem yasak* |
| - sugar _____ | Şeker kullanmam yasak *shekeR kul-lanmam yasak* |
| - fatty foods _____ | Yağlı yemek yemem yasak *ya:luh yemek yemem yasak* |
| - (hot) spices _____ | Baharatlı yemek yemem yasak *bahaRatluh yemek yemem yasak* |
| 'll/we'll have what those ___ people are having | Onlarınkinin aynısını istiyorum *onlaRuhnkinin ínuhsuhnuh istiyoRoom* |
| 'd like... _____ | ...istiyorum *...istiyoRoom* |
| We're not having a _____ starter | Meze istemiyoruz *mezeh istemiyoRooz* |
| The child will share what ___ we're having | Çocuk bizim yemeğimizden yiyecek *chojook bizim yeme:imizden yiyejek* |
| Could I have some _____ more bread, please? | Biraz daha ekmek getirir misiniz lütfen? *biRaz da-ha ekmek getiRiR misiniz lewtfen?* |
| - a bottle of water/wine ____ | Bir şişe su/şarap getirir misiniz lütfen? *biR shisheh su/shaRap getiRiR misiniz lewtfen?* |
| - another helping of... ____ | Bir porsiyon...getirir misiniz lütfen? *biR poRsiyon...getiRiR misiniz lewtfen?* |
| - some salt and pepper ____ | Tuz ve karabiber getirir misiniz lütfen? *tooz ve kaRabibeR getiRiR misiniz lewtfen?* |
| - a napkin _____ | Bir peçete getirir misiniz lütfen? *biR pecheteh getiRiR misiniz lewtfen?* |
| - a spoon _____ | Bir kaşık getirir misiniz lütfen? *biR kashuhk getiRiR misiniz lewtfen?* |
| - an ashtray _____ | Bir kül tablası getirir misiniz lütfen? *biR kewl tablasuh getiRiR misiniz lewtfen?* |

| | |
|---|---|
| Aperatif alır mıydınız? _____ | Would you like a drink first? |
| Seçiminizi yaptınız mı? _____ | Have you decided? |
| Ne içersiniz? _____ | What would you like to drink? |
| Afiyet olsun _____ | Enjoy your meal |
| Bifteğiniz nasıl olsun? _____ | Would you like your steak rare, medium or well done? |
| Tatlı/kahve alır mıydınız? _____ | Would you like a dessert/coffee? |

**Eating out**

| | |
|---|---|
| – some matches_____ | Bir kutu kibrit getirir misiniz lütfen? |
| | *biR kootoo kibrit getiRiR misiniz lewtfen?* |
| – some toothpicks_____ | Birkaç tane kürdan getirir misiniz lütfen? |
| | *biRkach taneh kewRdan getiRiR misiniz lewtfen?* |
| – a glass of water _____ | Bir bardak su getirir misiniz lütfen? |
| | *biR baRdak soo getiRiR misiniz lewtfen?* |
| – a straw (for the child) ____ | (Çocuk için) bir kamış getirir misiniz lütfen? |
| | *(chojook ichin) biR kamuhsh getiRiR misiniz lewtfen?* |
| Enjoy your meal!_____ | Afiyet olsun! |
| | *afiyet olsoon!* |
| You too! _____ | Size de! |
| | *sizeh deh!* |
| Cheers!_____ | Şerefe! |
| | *sheRefeh!* |
| The next round's on me ___ | Bir dahaki sefer sıra bende |
| | *biR da-haki sefeR suhRa bendeh* |
| Could we have a doggy_____ bag, please? | Kalanları paket yapar mısınız? |
| | *kalanlaRuh paket yapaR muhsuhnuhz?* |

## 4 .3 The bill

*See also 8.2 Settling the bill*

| | |
|---|---|
| How much is this dish? ____ | Bu yemeğin fiyatı ne kadar? |
| | *boo yeme:in fiyatuh neh kadaR?* |
| Could I have the bill, _____ please? | Hesap lütfen |
| | *hesap lewtfen* |
| All together_____ | Hepsi bir arada |
| | *hepsi biR aRada* |
| Everyone pays separately__ | Herkes kendi hesabını ödeyecek |
| | *heRkes kendi hesabuhnuh urdeyejek* |
| Could we have the menu __ again, please? | Yemek listesine bir göz atabilir miyiz? |
| | *yemek listesine biR gurz atabiliR miyiz?* |
| The...is not on the bill _____ | ...hesapta yok |
| | *...hesapta yok* |

## 4 .4 Complaints

| | |
|---|---|
| It's taking a very_____ long time | Çok uzun sürüyor |
| | *chok oozoon sewRew-yor* |
| We've been here an _____ hour already | Bir saatten beri buradayız |
| | *biR saht-ten beRi booRada-yuhz* |
| This must be a mistake ____ | Bir yanlışlık olmalı |
| | *bir yanluhshluhk olmaluh* |
| This is not what I_____ ordered | Ben bunu ısmarlamamıştım |
| | *ben boonoo uhsmaRlamamuhshtuhm* |
| I ordered..._____ | ...istemiştim |
| | *...istemishtim* |
| There's a dish missing_____ | Yemeklerden biri eksik |
| | *yemekleRden biRi eksik* |
| This is broken/not clean ___ | Bu kırık/kirli |
| | *boo kuhRuhk/kiRli* |
| The food's cold _____ | Yemek soğuk |
| | *yemek so:ook* |

| – not fresh _____ | Yemek taze değil |
| | *yemek tazeh de:il* |
| – too salty/sweet/spicy_____ | Yemek çok tuzlu/tatlı/baharatlı |
| | *yemek chok toozloo/tatluh/bahaRatluh* |
| The meat's not done_____ | Et iyi pişmemiş |
| | *et iyi pishmemish* |
| – overdone _____ | Et çok haşlanmış |
| | *et chok hashlanmuhsh* |
| – tough_____ | Et çok sert |
| | *et chok seRt* |
| – off_____ | Et bozuk |
| | *et bozook* |
| Could I have something ___ else instead of this? | Bunun yerine bana başka bir şey verebilir misiniz? |
| | *boonoon yeRineh bana bashka biR shey veRebiliR misiniz?* |
| The bill/this amount is _____ not right | Hesapta bir yanlışlık var |
| | *hesapta bir yanluhshluhk vaR* |
| We didn't have this_____ | Biz bunu yemedik |
| | *biz boonoo yemedik* |
| There's no paper in the ___ toilet | Tuvalette tuvalet kağıdı kalmamış |
| | *too-alet-te too-alet ka:uhduh kalmamuhsh* |
| Do you have a _____ complaints book? | Şikayet defteriniz var mı? |
| | *shika-yet defteRiniz vaR muh?* |
| Will you call the_____ manager, please? | Şefinizi çağırır mısınız lütfen? |
| | *shefinizi cha:uhRuhR muhsuhnuhz lewtfen?* |

## .5 Paying a compliment

| That was a wonderful _____ meal | Yemeklerinizi çok beğendik |
| | *yemekleRinizi chok be:endik* |
| The food was excellent ____ | Yemekleriniz çok lezizdi |
| | *yemekleRiniz chok lezizdi* |
| The...in particular was ____ delicious | Özellikle...çok lezzetliydi |
| | *urzel-likleh...chok lez-zetliydi* |

## .6 The menu

| Turkish | English |
|---------|---------|
| alkollü içkiler | alcoholic drinks |
| alkolsüz içkiler | non-alcoholic drinks |
| aperatif | aperitif |
| balık çeşitleri | choice of fish dishes |
| çorba çeşitleri | choice of soups |
| etli yemekler | meat dishes |
| etsiz yemekler | vegetarian dishes |
| ızgara | grills |
| kahvaltı | breakfast |
| KDV dahil | including VAT |
| kokteyller | cocktails |
| menü | menu |
| meyva | fruit |
| mezeler | starters |
| pasta çeşitleri | choice of cakes |
| salatalar | salads |
| şarap listesi | wine list |
| sebze yemekleri | vegetable dishes |
| servis dahil | service included |
| servis hariç | service not included |
| sıcak yemekler | hot dishes |
| soğuk yemekler | cold dishes |
| tatlılar | sweets (puddings) |

## .7 Alphabetical list of drinks and dishes

| Turkish | English |
|---------|---------|
| alabalık | trout |
| armut | pear |
| aşure | sweet dish made from fruit and many kinds of nut |
| ayran | yoghurt drink |
| ayşe kadın fasulyesi | green beans |
| ayva | quince |
| badem ezmesi | ground almonds |
| bakla | broad beans |
| baklava | sticky pastry |
| balık | fish |
| beyaz peynir | white cheese (like feta) |
| beyaz şarap | white wine |
| bezelye | peas |
| biber | peppers |
| biber dolması | stuffed peppers |
| biftek | steak |
| bira | beer |
| bisküvi | biscuits |
| böbrek | kidneys |
| bonfile | best cut (beef) |
| börek | pastry |
| brüksel lahanası | Brussels sprouts |
| bulgur | bulgar wheat |
| but | leg (of meat) |
| buz | ice |
| cacık | cucumber and yoghurt |
| çay | tea |
| çerkez tavuğu | chicken with walnuts |
| ceviz | walnut |
| ciğer | liver |
| çikolata | chocolate |
| çikolatalı dondurma | chocolate ice cream |
| çilek | strawberries |
| cızbız köfte | grilled meatballs |
| çoban salatası | cucumber, tomato and onion salad |
| çorba | soup |
| dana eti | veal |
| dil | tongue |
| dil balığı | sole |
| domates | tomatoes |
| domates çorbası | tomato soup |
| domates dolması | stuffed tomatoes |
| domates salatası | tomato salad |
| domates salçası | sauce made from tomatoes |
| domuz eti | pork |
| dondurma | ice cream |

| Turkish | English |
|---|---|
| döner | spit-roast |
| düğün çorbası | meat and yoghurt soup |
| ekmek | bread |
| elma | apple |
| enginar | globe artichoke |
| erik | plum |
| et | meat |
| et suyu | meat stock |
| etli bezelye | peas cooked with meat |
| fasulye | beans |
| fındık | hazelnuts |
| fırında | oven-roast |
| gazoz | fizzy lemonade |
| güveç | meat and vegetable casserole |
| hamsi | anchovy |
| hardal | mustard |
| havuç | carrot |
| helva | halva |
| hindi | turkey |
| hurma | dates |
| iç pilav | rice stuffing |
| imam bayıldı | stuffed aubergine |
| incir | fig |
| irmik helvası | semolina helva |
| işkembe çorbası | tripe soup |
| ıspanak | spinach |
| ıstakoz | lobster |
| istiridye | oysters |
| ızgara | grill/grilled |
| izmir köftesi | meatballs in tomato sauce |
| jöle | jelly |
| kabak | courgettes/marrow |
| kabak dolması | stuffed courgettes |
| kadınbudu köfte | meat and rice rissoles |
| kahve | coffee |
| kalkan balığı | turbot |
| karabiber | black pepper |
| karides | shrimps |
| karışık | mixed |
| karnabahar | cauliflower |
| karnıyarık | aubergine stuffed with minced meat |
| karpuz | water melon |
| kaşar peyniri | cheese (cheddar-type, sometimes dry, usually mature) |
| kavun | melon |
| kayısı | apricot |
| kebap | kebab |
| keçi | goat |
| kekik | thyme |
| keklik | partridge |
| kereviz | celery |
| kestane | chestnut |
| ketçap | ketchup |
| kiraz | cherry |
| kırlangıç | swallow (bird) |
| kırmızı biber | red pepper |
| kırmızı lahana | red cabbage |
| kırmızı şarap | red wine |
| kırmızı turp | radishes |
| kıyma | mince |
| kızartılmış ekmek | toast |
| köfte | meat-balls |
| kokoreç | sheep's chitterlings cooked on a spit |
| komposto | stewed fruit |
| koyun eti | mutton |
| kuru fasulye | dried beans |
| kuşkonmaz | asparagus |
| kuzu budu | leg of lamb |
| kuzu eti | lamb |
| lahana | cabbage |
| lahana dolması | stuffed cabbage |
| lahmacun | Turkish pizza made with minced meat, spices and onions |
| levrek | bass |
| limon | lemon |
| limonata | lemonade |
| lokum | Turkish delight |
| maden sodası | soda water |
| maden suyu | mineral water |
| makarna | macaroni |

| | | |
|---|---|---|
| mandalina | patlıcan musakkası | şekerpare |
| tangerine, mandarin | moussaka | small cakes cooked in |
| mantar | patlıcan salatası | sweet syrup |
| mushroom | aubergine salad | sığır eti |
| maydanoz | peynir | beef |
| parsley | cheese | sirke |
| mayonez | pide | vinegar |
| mayonnaise | (flat) bread | şiş kebap |
| menemen | pilav | sish kebab |
| omlette with tomatoes, | rice | sivri biber |
| onion and paprika | piliç | long green pepper |
| mercimek çorbası | small chicken | siyah zeytin |
| lentil soup | pırasa | black olives |
| meyva suyu | leek | sos |
| fruit juice | pirzola | sauce |
| mezgit | cutlet | su |
| whiting | portakal | water |
| midye | orange | süt |
| mussels | portakal suyu | milk |
| midye dolması | orange juice | tarçın |
| stuffed mussels | rafadan yumurta | cinnamon |
| midye pilakisi | lightly- | tarhana çorbası |
| mussel stew (cold) | boiled egg | soup made from grain, |
| midye tava | rakı | yoghurt and tomatoes |
| fried mussels | aniseed spirit served | tas kebabı |
| mısır | mixed with a little | braised lamb |
| sweetcorn | water | tavada |
| mücver | ringa balığı | fried |
| courgette croquettes | herring | tavşan |
| mürekkep balığı | roka | rabbit |
| squid | rocket (salad | tavuk |
| muz | vegetable) | chicken |
| banana | salata | tavuk çorbası |
| nar | salad | chicken soup |
| pomegranate | salatalık | tavuk göğsü |
| omlet | cucumber | milk pudding |
| omlette | salmon | cooked with |
| ördek | salmon | chicken breast |
| duck | şam fıstığı | taze |
| pancar | pistachio | fresh |
| beetroot | şarap | terbiyeli |
| pastırma | wine | with a sauce |
| pressed (spiced) | sardalya | tereyağı |
| meat | sardines | butter |
| patates | sarımsak | tereyağlı |
| potatoes | garlic | made with butter |
| patates kızartması | sazan | turna balığı |
| chips | carp | pike |
| patates püresi | sebze | turp |
| mashed potatoes | vegetable | radishes |
| patates salatası | sebze çorbası | turşu |
| potato salad | vegetable soup | pickled |
| patlıcan | şeftali | tuz |
| aubergine | peach | salt |
| patlıcan kızartması | şeker | tuzlu |
| fried aubergine | sugar | with added salt, salty |

| | | |
|---|---|---|
| tuzsuz | viski | yeşil zeytin |
| without salt | whisky | green olives |
| un | vişne | yoğurt |
| flour | morello | yoghurt |
| un kurabiyesi | cherries | yoğurt çorbası |
| cake made with | yağlı et | yoghurt soup |
| almond and nuts | meat (not lean) | yumurta |
| uskumru | yağsız et | eggs |
| mackerel | lean meat | zeytin |
| üzüm | yaprak dolması | olives |
| grapes | stuffed vine | zeytin yağı |
| vanilya | leaves | olive oil |
| vanilla | yayla çorbası | zeytin yağlı |
| vanilyalı dondurma | parsley and yoghurt | made with olive oil |
| vanilla ice-cream | soup | |
| vermut | yengeç | |
| vemouth | crab | |

# On the road

# **5** On the road

## **5**.1 **A**sking for directions

| | |
|---|---|
| Excuse me, could I ask you something? | Özür dilerim, size bir şey sorabilir miyim? |
| | _urzewR dileRim, sizeh biR shey soRabiliR miyim?_ |
| I've lost my way | Yolumu kaybettim |
| | _yoloomoo kíbet-tim_ |
| Is there a(n)... around here? | Bu civarda bir...var mı? |
| | _boo jivaRda biR...vaR muh?_ |
| Is this the way to...? | ...giden yol bu mu? |
| | _...giden yol boo moo?_ |
| Could you tell me how to get to the... (name of place) by car/on foot? | Bana...arabayla/yaya nasıl gidebileceğimi söyleyebilir misiniz? |
| | _bana...aRabíla/ya-ya nasuhl gidebileje:imi suhyleyebiliR misiniz?_ |
| What's the quickest way to...? | ...en çabuk nasıl gidebilirim? |
| | _...en chabook nasuhl gidebiliRim?_ |
| How many kilometres is it to...? | ...kaç kilometre kaldı? |
| | _...kach kilometReh kalduh?_ |
| Could you point it out on the map? | Haritada gösterebilir misiniz? |
| | _haRitada gursteRebiliR misiniz?_ |

| | |
|---|---|
| Bilmiyorum, buralı değilim | I don't know, I don't know my way around here |
| Yanlış yoldasınız | You're going the wrong way |
| ... geri dönmelisiniz | You have to go back to... |
| Oradan levhaları takip ediniz | From there on just follow the signs |
| Oraya varınca tekrar sorun | When you get there, ask again |

| | | |
|---|---|---|
| doğru | sokak | bağlantı yolu |
| **straight ahead** | **the street** | **the flyover** |
| sola | trafik ışıkları | köprü |
| **left** | **the traffic lights** | **the bridge** |
| sağa | tünel | hemzemin geçit |
| **right** | **the tunnel** | **the level crossing/the** |
| dönmek | 'yol ver' işareti | **boom gates** |
| **turn** | **the 'give way' sign** | ... giden yolu gösteren |
| takip etmek | bina | levha |
| **follow** | **the building** | **the sign pointing to...** |
| karşıya geçmek | köşede | |
| **cross** | **at the corner** | |
| kavşak | ırmak/nehir | |
| **the intersection** | **the river** | |

**On the road**

43

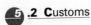

## .2 Customs

● **Before you set out,** you will need a valid passport. On arrival, you will have to acquire a visa, which is normally issued automatically. Queue for the visa before passport control. Drivers need an international driving licence, green card, UK plates, insurance which is valid in Turkey and also their car registration documents.
You may take 5 litres of spirits into the country, and up to 200 cigarettes.

| | |
|---|---|
| Pasaportunuz lütfen _____ | Your passport, please |
| Yeşil kartınız lütfen _____ | Your green card, please |
| Araba ruhsatınız lütfen _____ | Your vehicle documents, please |
| Vizeniz lütfen _____ | Your visa, please |
| Nereye gidiyorsunuz? _____ | Where are you heading? |
| Ne kadar kalmayı düşünüyorsunuz? _____ | How long are you planning to stay? |
| Beyan edecek bir şeyiniz var mı?_____ | Do you have anything to declare? |
| Bunu açar mısınız? _____ | Open this, please |

| | |
|---|---|
| My children are entered ___ on this passport | Çocuklar pasaportuma kayıtlı *chojooklaR pasapoRtooma kayuhtluh* |
| I'm travelling through _____ | Ülkenizden geçiyordum *ewlkenizden gechiyoRdoom* |
| I'm going on holiday to... _____ | ...tatile gidiyorum *...tatileh gidiyoRoom* |
| I'm on a business trip _____ | İş seyahatindeyim *ish sey-ahatindeyim* |
| I don't know how long_____ I'll be staying yet | Ne kadar kalacağımı daha bilmiyorum *neh kadaR kalaja:uhmuh da-ha bilmiyoRoom* |
| I'll be staying here for _____ a weekend | Bir hafta sonu kalacağım *biR hafta sonoo kalaja:uhm* |
| – for a few days _____ | Birkaç gün kalacağım *biRkach gewn kalaja:uhm* |
| – for a week_____ | Bir hafta kalacağım *biR hafta kalaja:uhm* |
| – for two weeks _____ | İki hafta kalacağım *iki hafta kalaja:uhm* |
| I've got nothing to_____ declare | Beyan edecek bir şeyim yok *bey**ahn** edejek biR sheyim yok* |
| I've got...with me_____ | Yanımda...var *yanuhmda...vaR* |
| – ...cartons of cigarettes ___ | Yanımda bir karton sigara var *yanuhmda biR kaRton sigaRa vaR* |
| – ...bottles of... _____ | Yanımda bir şişe...var *yanuhmda biR shisheh...vaR* |
| – some souvenirs _____ | Yanımda birkaç hediyelik eşya var *yanuhmda biRkach hediyelik eshya vaR* |

**On the road**

**5**

| | |
|---|---|
| These are personal _____ effects | Bunlar benim şahsi eşyalarım |
| | *boonlaR benim shasi eshyalaRuhm* |
| These are not new _____ | Bu eşyalar yeni değil |
| | *boo eshyalaR yeni de:il* |
| Here's the receipt _____ | Makbuzu burada |
| | *makboozoo booRada* |
| This is for private use _____ | Bu kişisel kullanım için |
| | *boo kishisel kool-lanuhm ichin* |
| How much import duty _____ do I have to pay? | Ne kadar gümrük vergisi ödemem gerek? |
| | *neh kadaR gewmRewk veRgisi urdemem geRek?* |
| Can I go now? _____ | Gidebilir miyim? |
| | *gidebiliR miyim?* |

## 5 .3 Luggage

| | |
|---|---|
| Porter! _____ | Hamal! |
| | *hamal!* |
| Could you take this _____ luggage to...? | Bu bagajı...götürür müsünüz lütfen? |
| | *boo bagazhuh...gurtewRewR mewsewnewz lewtfen?* |
| How much do I _____ owe you? | Borcum ne kadar? |
| | *boRjoom neh kadaR?* |
| Where can I find a _____ luggage trolley? | Nerede bir bagaj vagonu bulabilirim? |
| | *neRedeh biR bagazh vagonoo boolabiliRim?* |
| Could you store this _____ luggage for me? | Bu bagajı emanete verebilir miyim? |
| | *boo bagazhuh emahneteh veRebiliR miyim?* |
| Where are the luggage _____ lockers? | Bagaj saklama dolapları nerede? |
| | *bagazh saklama dolaplaRuh neRedeh?* |
| I can't get the locker _____ open | Bagaj saklama dolabını açamıyorum |
| | *bagazh saklama dolabuhnuh achamuhyoRoom* |
| How much is it per item _____ per day? | Parça başına günlüğü ne kadar? |
| | *paRcha bashuhna gewnlew:ew neh kadaR?* |
| This is not my bag/ _____ suitcase | Bu benim çantam/bavulum değil |
| | *boo benim chantam/bavooloom de:il* |
| There's one item/bag/ _____ suitcase missing still | Bir parça/çanta/bavul eksik |
| | *biR paRcha/chanta/bavool eksik* |
| My suitcase is damaged _____ | Bavulum hasara uğramış |
| | *bavooloom hasaRa oo:Ramuhsh* |

## 5 .4 Traffic signs

| | | |
|---|---|---|
| Beklemek yasaktır | H (hastane) | Tamirat |
| no waiting | H (hospital) | roadworks |
| Bozuk yol | Havaalanı | Tek yön |
| poor road surface | airport | one way |
| D (durak) | Jandarma | Tünel |
| D (bus stop) | gendarmarie | tunnel |
| Dikkat | Park etmek yasaktır | Viraj |
| caution | no parking | bend |
| Dur | Polis | Yangın tehlikesi |
| stop | police | danger of fire |
| Gümrük | Şehir merkezi | Yavaş |
| customs | city centre | slow |

45

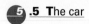
### 5.5 The car

*See the diagram on page 49.*

● **Speed limits** are 50km/h in built-up areas and 90km/h on the open road (for cars with trailers, limits are 40 and 70 respectively).

All accidents must be reported to the police whether or not personal injury occurs. In the event of an accident, you may find the other drive has *tek taraflı* insurance which covers only his or her own claims, or *çift taraflı* which should cover yours, too.

In country areas, Turkish drivers are always on the look-out for the occasional unexpected obstruction on the road (farm machinery or herds of animals) and in the towns, when the traffic lights show green, they may well prudently check that no car is about to cross their path against the red. Turkish driving standards are often high, but always be ready for exceptions.

On open roads, *take particular care on bends, as adverse cambers are not unknown.*

### 5.6 The petrol station

● **Petrol is not particularly expensive** in Turkey, and out-of town filling stations often have excellent facilities for refreshment. Attendant service is normal.

| | |
|---|---|
| How many kilometres to the next petrol station, please? | Bir sonraki benzin istasyonuna kaç kilometre var? |
| | *biR sonRaki benzin istas-yonoona kach kilometReh vaR?* |
| I would like...litres of..., please | ...litre...istiyorum |
| | *...litReh...istiyoRoom* |
| – super | ...litre kurşunlu benzin istiyorum |
| | *...litReh kooRshoonloo benzin istiyoRoom* |
| – leaded | ...litre kurşunsuz benzin istiyorum |
| | *...litReh kooRshoonsooz benzin istiyoRoom* |
| – unleaded | ...litre süper benzin istiyorum |
| | *...litReh sewpeR benzin istiyoRoom* |
| – diesel | ...litre dizel istiyorum |
| | *...litReh dizel istiyoRoom* |
| I would like...liras' worth of petrol, please | ...liralık benzin istiyorum |
| | *...liRaluhk benzin istiyoRoom* |
| Fill her up, please | Doldurun lütfen |
| | *doldooRoon lewtfen* |
| Could you check...? | ...kontrol eder misiniz? |
| | *...kontRol edeR misiniz?* |
| – the oil level | Yağ seviyesini kontrol eder misiniz? |
| | *ya: seviyesini kontRol edeR misiniz?* |
| – the tyre pressure | Lastiklerdeki hava basıncını kontrol eder misiniz? |
| | *lastikleRdeki hava basuhnjuhnuh kontRol edeR misiniz?* |
| Could you change the oil, please? | Yağı değiştirebilir misiniz? |
| | *ya:uh de:ishtiRebiliR misiniz?* |
| Could you clean the windows/the windscreen, please? | Camları/ön camı silebilir misiniz? |
| | *jamlaRuh/on camuh silebiliR misiniz?* |
| Could you give the car a wash, please? | Arabamı yıkayabilir misiniz? |
| | *aRabamuh yuhka-yabiliR misiniz?* |

## 5 .7 Breakdown and repairs

| | |
|---|---|
| I'm having car trouble._____ Could you give me a hand? | Arabam arızalandı. Yardım edebilir misiniz? *aRabam aRuhzalanduh. yaRduhm edebiliR misiniz?* |
| I've run out of petrol _____ | Benzinim bitti *benzinim bit-ti* |
| I've locked the keys_____ in the car | Anahtarları arabanın içinde unuttum *anaHtaRlaRuh aRabanuhn ichindeh oonoot-toom* |
| The car/motorbike/ _____ moped won't start | Arabam/motosikletim/mopetim çalışmıyor *aRabam/motosikletim/mopetim chalushmuhyoR* |
| Could you contact the ____ recovery service for me, please? | Benim için Türkiye Turing ve Otomobil Kurumunu arayabilir misiniz? *benim ichin tewRkiyeh tooRing ve otomobil kooRoomoonu ara-yabiliR misiniz?* |
| Could you call a garage____ for me, please? | Bir araba tamircisini arayabilir misiniz? *biR aRaba **tah**miRcisini aRa-yabiliR misiniz?* |
| Could you give me _____ a lift to...? | Sizinle...kadar gelebilir miyim? *sizinleh...kadaR gelebiliR miyim?* |
| – a garage/into town?_____ | Sizinle bir araba tamircisine/şehire kadar gelebilir miyim? *sizinleh biR aRaba **tah**miRjisin**eh**/she-hiReh kadaR gelebiliR miyim?* |
| – a phone booth?_____ | Sizinle bir telefon kulübesine kadar gelebilir miyim? *sizinleh biR telefon koolewbesineh kadaR gelebiliR miyim?* |
| – an emergency phone? ___ | Sizinle en yakın telefona kadar gelebilir miyim? *sizinleh en yakuhn telefona kadaR gelebiliR miyim?* |
| Can we take my _____ bicycle/moped? | Bisikletimi/mobiletimi de alabilir miyiz? *bisikletimi/mobiletimi deh alabiliR miyiz?* |
| Could you tow me to _____ a garage? | Arabamı bir araba tamircisine kadar çekebilir misiniz? *aRabamuh biR aRaba **tah**miRjisineh kadaR chekebiliR misiniz?* |
| There's probably _____ something wrong with...(See 49) | Büyük bir olasılıkla...arızalı *bewyewk biR olasuhluhkla...aRuhzaluh* |
| Can you fix it? _____ | Tamir edebilir misiniz? ***tah**miR edebiliR misiniz?* |
| Could you fix my tyre? ____ | Lastiğimi tamir edebilir misiniz? *lasti:imi **tah**miR edebiliR misiniz?* |
| Could you change this_____ wheel? | Bu tekerleği değiştirebilir misiniz? *boo tekeRle:i de:ishtiRebiliR misiniz?* |
| Can you fix it so it'll _____ get me to...? | ...varana kadar idare edecek bir şekilde tamir edebilir misiniz? *...vaRana kadaR idaReh edejek biR shekildeh **tah**miR edebiliR misiniz?* |
| Which garage can _____ help me? | Bana hangi tamircide yardımcı olabilirler? *bana hangi **tah**miRjide**h** yaRduhmjuh olabiliRleR?* |
| When will my car/bicycle __ be ready? | Arabam/bisikletim ne zaman hazır olur? *aRabam/bisikletim neh zaman hazuhR olooR?* |
| Can I wait for it here?_____ | Burada bekleyebilir miyim? *booRada bekleyebiliR miyim?* |

## The parts of a car

(the diagram shows the numbered parts)

| | | | |
|---|---|---|---|
| 1 | battery | akümülatör | *akewmewlaturR* |
| 2 | rear light | arka lamba | *aRka lamba* |
| 3 | rear-view mirror | ayna | *ína* |
| | reversing light | geri vites lambası | *geRi vites lambasuh* |
| 4 | aerial | anten | *anten* |
| | car radio | radyo | *radyo* |
| 5 | petrol tank | yakıt deposu | *yakuht deposoo* |
| | inside mirror | iç ayna | *ich ína* |
| 6 | sparking plugs | buji | *boozhi* |
| | fuel filter/pump | yakıt filtresi/pompası | *yakuht filtResi/pompasuh* |
| 7 | wing mirror | dış ayna | *duhsh ína* |
| 8 | bumper | tampon | *tampon* |
| | carburettor | karbüratör | *kaRbewRaturR* |
| | crankcase | karter | *kaRteR* |
| | cylinder | silindir | *silindiR* |
| | ignition | kontak | *kontac* |
| | warning light | kontrol lambası | *kontRol lambasuh* |
| | dynamo | dinamo | *dinamo* |
| | accelerator | gaz pedalı | *gaz pedaluh* |
| | handbrake | el freni | *el fReni* |
| | valve | subap | *soobap* |
| 9 | silencer | ses kesici | *ses kesiji* |
| 10 | boot | bagaj | *bagazh* |
| 11 | headlight | far | *faR* |
| | crank shaft | krank | *kRank* |
| 12 | air filter | hava filtresi | *hava filtResi* |
| | fog lamp | sis lambası | *sis lambasuh* |
| 13 | engine block | motorblok | *motoRblok* |
| | camshaft | kamlı mil | *kamluh mil* |
| | oil filter/pump | yağ filtresi/pompası | *ya: filtResi/pompasuh* |
| | dipstick | yağ seviye kontrol çubuğu | *ya: seviyeh kontRol chooboo:oo* |
| | pedal | pedal | *pedal* |
| 14 | door | kapı | *kapuh* |
| 15 | radiator | radyatör | *rad-yaturR* |
| 16 | brake disc | fren diski | *fRen diski* |
| | spare wheel | yedek tekerlek | *yedek tekeRlek* |
| 17 | indicator | yön gösterici | *yurn gursteRiji* |
| 18 | windscreen wiper | cam sileceği | *jam sileje:i* |
| 19 | shock absorbers | amortisör | *amoRtisurR* |
| | sunroof | tente | *tenteh* |
| | spoiler | arka kapak | *aRka kapak* |
| | starter motor | marş motoru | *maRsh motoRoo* |
| 20 | steering column | direksiyon kutusu | *diReksiyon kootoosoo* |
| 21 | exhaust pipe | egzoz borusu | *egzoz boRoosoo* |
| 22 | seat belt | emniyet kemeri | *emniyet kemeRi* |
| | fan | vantilatör | *vantilaturR* |
| 23 | distributor cables | distribütör kablosu | *distRibewturR kablosoo* |

On the road

5

| 24 gear lever | vites kolu | *vites koloo* |
|---|---|---|
| 25 windscreen | ön cam | *urn jam* |
| water pump | su pompası | *soo pompasuh* |
| 26 wheel | tekerlek | *tekeRlek* |
| 27 hubcap | tekerlek poyrası | *tekeRlek poyRasuh* |
| piston | piston | *piston* |

| | |
|---|---|
| How much will it cost? ____ | `Ne kadar tutacak? |
| | *neh kadaR tootajak?* |
| Could you itemise _____ the bill? | Hesabı makbuza ayrıntılı olarak geçirebilir misiniz? |
| | *hesabuh makbooza íRuhntuhluh olaRak gechiRebiliR misiniz?* |
| Can I have a receipt for ____ the insurance? | Sigorta için bir makbuz verir misiniz? |
| | *sigoRta ichin biR makbooz veRiR misiniz?* |

###  .8 The bicycle/moped

*See the diagram on page 53.*

● **Turks use bicycles** only for short-distance journeys, and cycling by tourists is only gradually becoming more common.
Motorcycles are subject to the same speed limits as cars with trailers (40 km/h in town and 70 on the open road).

### .9 Renting a vehicle

| | |
|---|---|
| I'd like to rent a..._____ | ...kiralamak istiyorum |
| | *...kiRalamak istiyoRoom* |
| Do I need a (special) _____ licence for that? | Onun için (özel) bir ehliyetim olması gerekiyor mu? |
| | *onoon ichin (urzel) biR eHliyetim olmasuh geRekiyoR moo?* |
| I'd like to rent the...for... ___ | ... ...kiralamak istiyorum |
| | *... ...kiRalamak istiyoRoom* |
| – one day _____ | ...bir günlüğüne kiralamak istiyorum |
| | *...biR gewnlew:ewneh kiRalamak istiyoRoom* |
| – two days _____ | ...iki günlüğüne kiralamak istiyorum |
| | *...iki gewnlew:ewneh kiRalamak istiyoRoom* |
| How much is that per _____ day/week? | Günlüğü/haftalığı ne kadar? |
| | *gewnlew:ew/haftaluh:uh neh kadaR?* |
| How much is the _____ deposit? | Ne kadar kaparo ödemem gerek? |
| | *neh kadaR kapaRo urdemem geRek?* |
| Could I have a receipt _____ for the deposit? | Sizden kaparoyu ödediğime dair bir makbuz alabilir miyim? |
| | *sizden kapaRoyu urdedi:ime díR biR makbooz alabiliR miyim?* |
| How much is the _____ surcharge per kilometre? | Kilometre başına ek olarak ne kadar ödemem gerek? |
| | *kilometReh bashuhnuh ek olaRak neh kadaR urdemem geRek?* |
| Does that include petrol? __ | Benzin dahil mi? |
| | *benzin da-hil mi?* |
| Does that include _____ insurance? | Sigorta dahil mi? |
| | *sigoRta da-hil mi?* |

| | |
|---|---|
| Arabanız/bisikletiniz için gerekli yedek parçalar elimde yok _____ | I don't have parts for your car/bicycle |
| Yedek parçaları başka bir yerden _____ almam gerek | I have to get the parts from somewhere else |
| Yedek parçaları ısmarlamam gerek_____ | I have to order the parts |
| Yarım gün sürer _____ | That'll take half a day |
| Bir gün sürer _____ | That'll take a day |
| Birkaç gün sürer _____ | That'll take a few days |
| Bir hafta sürer _____ | That'll take a week |
| Arabanız hurda olmuş _____ | Your car is a write-off |
| Yapılacak hiç bir şey yok _____ | It can't be repaired |
| Arabanız/motosikletiniz/mobiletiniz/ _____ bisikletiniz saat...hazır olur | The car/motor bike/moped/bicycle will be ready at...o'clock |

| | |
|---|---|
| What time can I pick the...up tomorrow? | ...yarın saat kaçta gelip alabilirim? *...yaRuhn saht kachta gelip alabiliRim?* |
| When does the...have to be back? | ...ne zaman geri getirmem gerek? *...neh zaman geRi getiRmem geRek?* |
| Where's the petrol tank? | Yakıt deposu nerede? *yakuht deposoo neRedeh?* |
| What sort of fuel does it take? | Depoyu hangi tür yakıt ile doldurmam gerek? *depoyoo hangi tewR yakuht ileh doldooRmam geRek?* |

## 5 .10 Hitchhiking

● **Short-distance hitch-hiking** is very common in Turkey, but you will be expected to offer to pay the driver (*Borcum ne kadar?*). As a visitor, your offer will almost certainly be declined, but it is rude not to make the gesture.

For long distances, check out the bus prices. They can be surprisingly inexpensive, just as much a social opener, and much more dependable than hitching.

| | |
|---|---|
| Where are you heading? | Nereye gidiyorsunuz? *neReyeh gidiyoRsoonooz?* |
| Can I come along? | Sizinle gelebilir miyim? *sizinleh gelebiliR miyim?* |
| Can my boyfriend/ girlfriend come too? | Erkek/kız arkadaşım da gelebilir mi? *eRkek/kuhz aRkadashuhm da gelebiliR mi?* |
| I'm trying to get to... | ...gitmem gerek *...gitmem geRek* |
| Is that on the way to...? | ...yolu üzerinde mi? *...yoloo ewzeRindeh mi?* |
| Could you drop me off...? | Beni...indirebilir misiniz? *beni...indiRebiliR misiniz?* |
| – here? | Beni burada indirebilir misiniz? *beni booRada indiRebiliR misiniz?* |
| – at the...exit? | Beni...giden yolda indirebilir misiniz? *beni...giden yolda indiRebiliR misiniz?* |
| – in the centre? | Beni şehir merkezinde indirebilir misiniz? *beni she-hiR meRkezindeh indiRebiliR misiniz?* |

## The parts of a bicycle

(the diagram shows the numbered parts)

| | | |
|---|---|---|
| 1 rear lamp | arka lamba | *aRka lamba* |
| 2 rear wheel | arka tekerlek | *aRka tekeRlek* |
| 3 (luggage) carrier | port bagaj | *poRt bagazh* |
| 4 fork crown | direksiyon mili | *diReksiyon mili* |
| 5 bell | zil | *zil* |
| inner tube | iç lastik | *ich lastik* |
| tyre | dış lastik | *duhsh lastik* |
| 6 crank | pedal kolu | *pedal koloo* |
| 7 gear change | zincir dişlisi | *zinjiR dishlisi* |
| wire | kablo | *kablo* |
| dynamo | dinamo | *dinamo* |
| bicycle trailer | iki tekerlek yük arabası | *iki tekeRlek yewk aRabasuh* |
| frame | karkas | *kaRkas* |
| 8 dress guard | çamurluk | *chamooRlook* |
| | (bayan elbisesi için) | *(ba-yan elbisesi ichin)* |
| 9 chain | zincir | *zinjiR* |
| chain guard | zincir muhafazası | *zinjiR moohafazasuh* |
| lock and chain | zincir kiliti | *zinjiR kiliti* |
| milometer | kilometre sayacı | *kilometReh sa-yajuh* |
| child's seat | çocuk oturacağı | *hojook otooRaja:uh* |
| 10 headlamp | far | *faR* |
| bulb | ampul | *ampool* |
| 11 pedal | pedal | *pedal* |
| 12 pump | bisiklet pompası | *bisiklet pompasuh* |
| 13 reflector | reflektör | *reflekturR* |
| 14 break pad | fren kampanası | *fRen kampanasuh* |
| 15 brake cable | fren teli | *fRen teli* |
| 16 ring lock | dairesel kilit | *diResel kilit* |
| 17 carrier straps | bagaj lastiği | *bagazh lastik* |
| speedometer | hız göstergesi | *huhz gursteRgesi* |
| 18 spoke | jant teli | *zhant teli* |
| 19 mudguard | çamurluk | *chamooRlook* |
| 20 handlebar | direksiyon | *diReksiyon* |
| 21 chain wheel | çark | *chaRk* |
| toe clip | tutma aleti | *tootma aleti* |
| 22 crank axle | pedal kolu mili | *pedal koloo mili* |
| drum brake | makaralı fren | *makaRaluh fRen* |
| rim | jant | *zhant* |
| 23 valve | subap | *subap* |
| 24 valve sleeve | subap hortumu | *subap hoRtoomoo* |
| 25 gear cable | vites teli | *vites teli* |
| 26 front fork | ön tekerlek çatalı | *urn tekeRlek chataluh* |
| 27 front wheel | ön tekerlek | *urn tekeRlek* |
| 28 seat | sele | *seleh* |

| – at the next roundabout? | Beni bir sonraki dönel kavşakta indirebilir misiniz? |
| | *beni biR sonRaki durnel kavshakta indiRebiliR misiniz?* |
| Could you stop here, _____ please? | Burada durur musunuz lütfen? |
| | *booRada dooRooR moosoonooz lewtfen?* |
| I'd like to get out here _____ | Burada inmek istiyorum |
| | *booRada inmek istiyoRoom* |
| How much do I owe you? _____ | Borcum ne kadar? |
| | *borjoom neh kadaR?* |
| Thanks for the lift _____ | Otostop için teşekkür ederim |
| | *otostop ichin teshek-kewR edeRim* |

# Public transport

# 6 **P**ublic transport

## 6 **.1 I**n general

● **Train travel** is not the automatic option for long-distance travel.
The rail network is relatively restricted, and journey times can be very
long.

Bus travel, on the other hand, is surprisingly cheap and very efficient,
so ask first about bus timetables and fares, and check out competing
companies. The bus-station (*otogar*) may be on the edge of town, but a
minibus service often provides a city-centre link. Seats are numbered,
and bookable in advance; you would do well to avoid the sunny side of
the bus.

Your fellow-passengers will be friendly, and ensure that you get off at
the stop you want. Each bus has an attendant (*yardımcı*) and the
upmarket companies provide a hostess (*hostes*). The *yardımcı* or
*hostes* will provide cologne for passengers to splash on their hands
and hair, and, when asked, will give anyone water to drink.
Refreshment breaks come every hour and a half.

### Announcements

| | |
|---|---|
| ...giden (10:40) treninin...5 dakika rötarı var | The [10:40] train to...has been delayed by 15 minutes |
| ...giden/...gelen (10:40) tren 5. perona girmek üzeredir | The train now arriving at platform 5 is the [10:40] train to.../from... |
| ...giden (10:40) tren 5. peronda hala bekliyor | The [10:40] train to...is about to leave from platform 5 |
| ...giden tren...perondan hareket etmektedir | The train to...will leave from platform... |
| ...istasyonuna girmek üzereyiz | We're now approaching... |

| | |
|---|---|
| Where does this train go to? | Bu tren nereye gidiyor? |
| | *boo tRen neReyeh gidiyoR?* |
| Does this boat go to...? | Bu vapur...gidiyor mu? |
| | *boo vapooR...gidiyoR moo?* |
| Can I take this bus to...? | ...gitmek için bu otobüse mi binmem gerekiyor? |
| | *...gitmek ichin boo otobewseh mi binmem geRekiyoR?* |
| Does this train stop at...? | Bu tren...duruyor mu? |
| | *boo tRen...dooRooyoR moo?* |
| Is this seat taken/free/ reserved? | Burası dolu mu/boş mu/ayırtılmış mı? |
| | *booRasuh dooloo moo/bosh moo/a-yuhRtuhlmuhsh muh?* |
| I've booked... | Ben...yer ayırtmıştım |
| | *ben...yeR a-yuhRtmuhshtuhm* |
| Could you tell me where I have to get off for... ? | Nerede inmem gerektiğini söyler misiniz *neRedeh inmem geRekti:ini suhyleR misiniz?* |

| | |
|---|---|
| Could you let me _____ know when we get to...? | ...geldiğimizde beni uyarır mısınız? *...geldi:imizdeh beni ooy-aRuhR muhsuhnuhz?* |
| Could you stop at the _____ next stop, please? | Bir sonraki durakta durur musunuz lütfen? *biR sonRaki dooRakta dooRooR moosoonooz lewtfen?* |
| Where are we now? _____ | Neredeyiz? *neRedeyiz?* |
| Do I have to get off here? __ | Burada mı inmem gerekiyor? *booRada muh inmem geRekiyoR?* |
| Have we already _____ passed...? | ...geçtik mi? *...gechtik mi?* |
| How long have I been _____ asleep? | Ne kadar uyumuşum? *neh kadaR ooy-oomooshoom?* |
| How long does... _____ stop here? | ...burada ne kadar kalacak? *...booRada neh kadaR kalajak?* |
| Can I come back on the _____ same ticket? | Bu bilet dönüşte de geçerli mi? *boo bilet durnewshteh deh gecheRli mi?* |
| Can I change on this _____ ticket? | Bu biletle aktarma yapabilir miyim? *boo biletleh aktaRma yapabiliR miyim?* |
| How long is this ticket _____ valid for? | Bu bilet ne zamana kadar geçerli? *boo bilet neh zamana kadaR gecheRli?* |

## 6 .2 Questions to passengers

### Ticket types

| | |
|---|---|
| Birinci sınıf mı yoksa ikinci sınıf mı? _____ | First or second class? |
| Tek gidiş mi yoksa gidiş dönüş mü? _____ | Single or return? |
| Sigara içilir mi içilmez mi? _____ | Smoking or non-smoking? |
| Cam kenarına mı koridor _____ tarafına mı? | Window or aisle? |
| Ön tarafa mı yoksa arka tarafa mı? _____ | Front or back? |
| Koltuk mu kuşet mi? _____ | Seat or couchette? |
| Üstte mi, ortada mı yoksa altta mı? _____ | Top, middle or bottom? |
| Turistik sınıf mı yoksa birinci _____ sınıf mı? | Tourist class or business class? |
| Kamara mı yoksa koltuk mu? _____ | Cabin or seat? |
| Tek kişilik mi yoksa iki kişilik mi? _____ | Single or double? |
| Kaç kişisiniz? _____ | How many are travelling? |

## 6 .3 Tickets

| | |
|---|---|
| Where can I...? _____ | Nerede...? *neRedeh...?* |
| – buy a ticket? _____ | Nerede bir bilet satın alabilirim? *neRedeh biR bilet satuhn alabiliRim?* |
| – make a reservation? _____ | Nerede bir yer ayırtabilirim? *neRedeh biR yeR a-yuhRtabiliRim?* |
| – book a flight? _____ | Nerede bir uçak bileti ayırtabilirim? *neRedeh biR oochak bileti a-yuhRtabiliRim?* |
| Could I have a...to..., _____ please? | ... ...istiyorum *... ...istiyoRoom* |

57

**Public transport**

### Destination

| | |
|---|---|
| Nereye gidiyorsunuz? _____ | Where are you travelling? |
| Ne zaman yola çıkacaksınız? _____ | When are you leaving? |
| ...saat...kalkıyor _____ | Your...leaves at... |
| Aktarma yapmanız gerek _____ | You have to change trains |
| ...inmeniz gerek _____ | You have to get off at... |
| ...yoluyla seyahat etmeniz gerek ____ | You have to travel via... |
| Gidiş... _____ | The outward journey is on... |
| Dönüş... _____ | The return journey is on... |
| En geç...binmiş olamanız gerekiyor ___ | You have to be on board by... |

### Inside the vehicle

| | |
|---|---|
| Biletiniz lütfen _____ | Your ticket, please |
| Yer ayırdığınızı gösteren belge lütfen ___ | Your reservation, please |
| Pasaportunuz lütfen _____ | Your passport, please |
| Yanlış yere oturmuşsunuz _____ | You're in the wrong seat |
| Yanlış ... binmişsiniz _____ | You're on/in the wrong... |
| Bu yer ayırtılmıştır _____ | This seat is reserved |
| Bir miktar ek olarak ödemeniz gerekiyor | You'll have to pay a supplement |
| ... ...dakika rötarlı _____ | The...has been delayed by...minutes |

| | |
|---|---|
| – a single _____ | ...tek gidiş istiyorum *...tek gidish istiyoRoom* |
| – a return _____ | ...gidiş dönüş istiyorum *...gidish durnewsh istiyoRoom* |
| first class _____ | birinci sınıf *biRinji suhnuhf* |
| second class _____ | ikinci sınıf *ikinji suhnuhf* |
| tourist class_____ | turistik sınıf *tooRistik suhnuhf* |
| business class _____ | Birinci sınıf *biRinji suhnuhf* |
| I'd like to book a _____ seat/couchette/cabin | Bir koltuk/kuşet/kamara ayırtmak istiyorum *biR koltook/kooshet/kamaRa a-yuhRtmak istiyoRoom* |
| I'd like to book a berth in __ the sleeping car | Kuşetli bir yer ayırtmak istiyorum *kooshetli biR yeR a-yuhRtmak istiyoRoom* |
| top/middle/bottom _____ | üst/orta/alt *ewst/oRta/alt* |
| smoking/no smoking _____ | sigara içilir/içilmez *sigaRa ichiliR/ichilmez* |
| by the window _____ | cam kenarına *jam kenaRuhna* |
| single/double _____ | tek kişilik/iki kişilik *tek kishilik/iki kishilik* |

58

| | |
|---|---|
| at the front/back _____ | ön tarafta/arka tarafta |
| | *urn taRafta/aRka taRafta* |
| There are...of us _____ | ... kişiyiz |
| | *... kishiyiz* |
| a car _____ | Bir araba ileyiz |
| | *biR aRaba ileyiz* |
| a caravan _____ | Bir karavan ileyiz |
| | *biR kaRavan ileyiz* |
| ...bicycles _____ | ...bisiklet ileyiz |
| | *...bisiklet ileyiz* |
| Do you also have...? _____ | ...var mı? |
| | *...vaR muh?* |
| – season tickets? _____ | Abone biletiniz de var mı? |
| | *aboneh biletiniz deh vaR muh?* |
| – weekly tickets? _____ | Haftalık abone bileti de var mı? |
| | *haftaluhk aboneh biletiniz deh vaR muh?* |
| – monthly season _____ tickets? | Aylık abone biletiniz de var mı? |
| | *iluhk aboneh biletiniz deh vaR muh?* |

## .6 .4 Information

**Public transport**

| | |
|---|---|
| Where's? _____ | ...nerede? |
| | *...neRedeh?* |
| Where's the information _____ desk? | Danışma bürosu nerede? |
| | *danuhshma bewRosoo neRedeh?* |
| Where can I find a _____ timetable? | Tren/otobüs tarifesi nerede? |
| | *tRen/otobews taRifesi neRedeh?* |
| Where's the...desk? _____ | ...gişesi nerede? |
| | *...gishesi neRedeh* |
| Do you have a city map _____ with the bus/the underground routes on it? | şehrin otobüs/metro ağını gösteren bir haritanız var mı? *sheHRin otobews/metRo a:uhnuh gursteRen biR haRitanuhz vaR muh?* |
| Do you have a _____ train/bus timetable? | Tren/otobüs tarifeniz var mı? |
| | *tRen/otobews taRifeniz vaR muh?* |
| I'd like to confirm/ _____ cancel/change my booking for/trip to... | ...olan rezervasyonumu/yolculuğumu konfirme etmek/iptal etmek/değiştirmek istiyorum *...olan rezeRvasyonoomoo/yoljooloo:oomoo konfriRmeh etmek/iptahl etmek/de:ishtiRmek istiyoRoom* |
| Will I get my money _____ back? | Paramı geri alabilir miyim? |
| | *paRamuh geRi alabiliR miyim?* |
| I want to go to... _____ How do I get there? (What's the quickest way there?) | ...gitmek istiyorum. (En çabuk) nasıl gidebilirim? *...gitmek istiyoRoom. (en chabook) nasuhl gidebiliRim?* |
| How much is a _____ single/return to...? | ...tek gidiş/gidiş dönüş ne kadar? |
| | *...tek gidish/gidish durnewsh neh kadaR?* |
| Do I have to pay a _____ supplement? | Ek olarak bir şey ödemem gerekiyor mu? |
| | *ek olaRak biR shey urdemem geRekiyoR moo?* |
| Can I interrupt my _____ journey with this ticket? | Bu biletle yolculuğuma ara verebilir miyim? *boo biletleh yoljooloo:ooma aRa veRebiliR miyim?* |
| How much luggage _____ am I allowed? | Yanıma ne kadar bagaj alabilirim? |
| | *yanuhma neh kadaR bagazh alabiliRim?* |
| Can I send my luggage _____ in advance? | Bagajlarımı önceden gönderebilir miyim? *bagazhlaRuhmuh urnjeden gurndeRebiliR miyim?* |

| | |
|---|---|
| Does this...travel direct? | Bu...dosdoğru mu gidiyor? |
| | *boo...dosdo:Roo moo gidiyoR?* |
| Do I have to change? Where? | Aktarma yapmam gerekiyor mu? Nerede? |
| | *aktaRma yapmam geRekiyoR moo? neRedeh?* |
| Will there be any stopovers? | Uçak aktarmalı uçuş mu yapıyor? |
| | *oochak aktaRmaluh oochoosh moo yapuhyoR?* |
| Does the boat call in at any ports on the way? | Bu vapur yolculuk sırasında başka limanlara da uğruyor mu? |
| | *boo vapooR yoljoolook suhRasuhnda bashka limanlaRa da oo:RooyoR moo?* |
| Does the train/ bus stop at...? | Bu tren/otobüs...duruyor mu? |
| | *boo tRen/otobews...dooRooyoR moo?* |
| Where should I get off? | Nerede inmem gerekiyor? |
| | *neRedeh inmem geRekiyoR?* |
| Is there a connection to...? | ...giden araca hemen aktarma yapmam mümkün mü? |
| | *...giden aRaja hemen aktaRma yapmam mewmkewn mew?* |
| How long do I have to wait? | Ne kadar beklemem gerekiyor? |
| | *neh kadaR beklemem geRekiyoR?* |
| When does...leave? | ...ne zaman kalkıyor? |
| | *...neh zaman kalkuhyoR?* |
| What time does the first/next/last...leave? | İlk/bir sonraki/en son...saat kaçta kalkıyor? |
| | *ilk/biR sonRaki/en son...saht kachta kalkuhyoR?* |
| How long does...take? | Yolculuk kaç saat sürüyor? |
| | *yoljoolook kach saht sewRew-yoR?* |
| What time does...arrive in...? | ...saat kaçta...varıyor? |
| | *...saht kachta...vaRuh-yoR?* |
| Where does the...to... leave from? | ...giden...nereden kalkıyor? |
| | *...giden...neReden kalkuh-yoR?* |
| Is this...to...? | ...giden...bu mu? |
| | *...giden...boo muh?* |

## 6 .5 Aeroplanes

● **At arrival at a Turkish airport** (*havaalanı*), you will find the following signs:

| | | |
|---|---|---|
| geliş arrivals | iç hatlar domestic flights | dış hatlar international |
| gidiş departures | | |

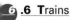

## .6 Trains

* **If you prefer** train to bus, be sure to choose the express trains (*mavi tren, ekspres*, or *mototren*). Avoid the 'passenger' (*yolcu*) or mail (*posta*) trains, as these can be astonishingly slow.
When reading timetables, remember that the station name, not the city name, will generally be used. If in doubt, ask.

## .7 Taxis

* **The regular taxis** are not the only option. Ask about the *dolmuş* service. These follow a pre-set route, but can be flagged down (or will allow you to get off) at any point on the way. They are either minibuses or big old cars, and have a distinctive yellow stripe.
If you do take a regular taxi, just be sure the driver starts his meter as you get in. If he forgets, remind him (*'Taksimetreyi açar mısınız'*). It may save a lot of argument later. The Turks themselves do not normally expect to tip taxi drivers, and you are quite within your rights to refuse. However, since foreign travellers do so often offer tips, you could volunteer one if you wished. Don't feel coerced, though.

| boş | dolu | taksi durağı |
|---|---|---|
| for hire | booked | taxi rank |

| | |
|---|---|
| Taxi! _____ | Taksi! |
| | *taksi!* |
| Could you get me a taxi, ___ please? | Benim ichin bir taksi çağırabilir misiniz? |
| | *benim ichin biR taksi cha:uhRabiliR misiniz?* |
| Where can I find a taxi ___ around here? | Bu civarda nerede bir taksi bulabilirim? |
| | *boo jivaRda neRedeh biR taksi boolabiliRim?* |
| Could you take me to..., ___ please? | Beni...götürün lütfen |
| | *beni...gurtewRewn lewtfen* |
| this address _____ | Beni bu adrese götürün lütfen |
| | *beni boo adReseh gurtewRewn lewtfen* |
| the...hotel _____ | Beni...oteline götürün lütfen |
| | *beni...otelineh gurtewRewn lewtfen* |
| the town/city centre _____ | Beni şehir merkezine götürün lütfen |
| | *beni shehiR meRkezineh gurtewRewn lewtfen* |
| the station _____ | Beni istasyona götürün lütfen |
| | *beni istas-yona gurtewRewn lewtfen* |
| the airport _____ | Beni havaalanına götürün lütfen |
| | *beni hava-alanuhna gurtewRewn lewtfen* |
| How much is the _____ trip to...? | ...gitmek ne kadar tutar? |
| | *...gitmek neh kadaR tootaR?* |
| How far is it to...? _____ | ...kaç kilometre? |
| | *...kach kilometReh?* |
| Could you turn on the _____ meter, please? | Taksimetreyi açar mısınız lütfen? |
| | *taksimetReyi achaR muhsuhnuhz lewtfen?* |
| I'm in a hurry _____ | Acelem var |
| | *ajelem vaR* |
| Could you speed up/ _____ slow down a little? | Daha hızlı/yavaş gidebilir misiniz? |
| | *da-ha huhzluh/yavash gidebiliR misiniz?* |

**Public transport**

| | |
|---|---|
| Could you take a _____ different route? | Başka bir yoldan gidebilir misiniz? |
| | _bashka biR yoldan gidebiliR misiniz?_ |
| I'd like to get out here,_____ please. | Beni burada indirin, lütfen |
| | _beni booRada indiRin lewtfen_ |
| You have to go...here _____ | Buradan...gidin/dönün |
| | _booRadan...gidin/durnewn_ |
| You have to go straight ____ on here | Buradan doğru gidin |
| | _booRadan do:Roo gidin_ |
| You have to turn left_____ here | Buradan sola dönün |
| | _booRadan sola durnewn_ |
| You have to turn right _____ here. | Buradan sağa dönün |
| | _booRadan sa:a durnewn_ |
| This is it _____ | Burası |
| | _booRasuh_ |
| Could you wait a minute___ for me, please? | Bir saniye bekler misiniz? |
| | _biR **sah**niyeh bekleR misiniz?_ |

# Overnight accommodation

# Overnight accommodation

## 7.1 General

● **There is a five star rating system** for hotels, with luxury hotels exactly the same as in any other country. Two or three star hotels can provide all the facilities expected by most European travellers, and offer a more than adequate standard of comfort.
Prices can be very reasonable indeed.
If you have enough money to spare, ask for information about hotels in former Ottoman mansions. They can be outstanding for their exotic atmosphere, and can be a memorable part of your stay. By Turkish standards they are not cheap, however. For those who need to be careful with money, a bed-and-breakfast *pansiyon* will offer a perfectly adequate place to stay. Even cheaper (but not very attractive) accommodation can be found in a hostel (*yurt*) or student hostel (*öğrenci yurdu*).
There are also camp-sites (with varying facilities) but mostly these are located in the major tourist areas.

| | |
|---|---|
| Ne kadar kalacaksınız? | How long will you be staying? |
| Bu formu doldurur musunuz lütfen? | Fill out this form, please |
| Pasaportunuzu görebilir miyim? | Could I see your passport? |
| Kaparo ödemeniz gerek | I'll need a deposit |
| Peşin olarak ödemeniz gerek | You'll have to pay in advance |

| | |
|---|---|
| My name's...I've made a reservation over the phone/by mail | Adım...(telefonla/yazılı olarak) yer ayırtmıştım *aduhm...(telefonla/yazuhluh olaRak) yeR a-yuhRtmuhshtuhm* |
| How much is it per night/week/ month? | Bir geceliği/haftalığı/aylığı ne kadar? *biR gejeli:i/haftaluh:uh/īluh:uh neh kadaR?* |
| We'll be staying at least...nights/weeks | En az...gece/hafta kalacağız *en az...gejeh/hafta kalaja:uhz* |
| We don't know yet | Tam olarak bilmiyoruz *tam olaRak bilmiyoRooz* |
| Do you allow pets (cats/dogs)? | Ev hayvanlarını (kedi/köpek) kabul ediyor musunuz? *ev hívanlaRuhnuh (kedi/kurpek) kabool ediyoR moosoonooz?* |
| What time does the gate/door open/close? | Demir parmaklık/kapı saat kaçta açılıyor/kapanıyor? *demiR paRmakluhk/kapuh saht kachta achuhluhyoR/kapanuhyoR?* |
| Could you get me a taxi, please? | Benim için bir taksi çağırır mısınız? *benim ichin biR taksi cha:uhRuhR muhsuhnuhz* |
| Is there any mail for me? | Bana posta var mı? *bana posta vaR muh?* |

# .2 Camping

*See the diagram on page 67.*

| | |
|---|---|
| Where's the manager? ___ | Yönetici nerede? |
| | *yurnetiji neRedeh?* |
| Are we allowed to _____ camp here? | Burada kamp kurabilir miyiz? |
| | *booRada kamp kooRabiliR miyiz?* |
| There are...of us and _____ ...tents | ...kişi ve...çadırlayız |
| | *...kishi veh...chaduhRla-yuhz* |
| Can we pick our _____ own pitch? | Çadır kurabileceğimiz yeri kendimiz seçebilir miyiz? |
| | *chaduhR kooRabileje:imiz yeRi kendimiz sechebiliR miyiz?* |
| Do you have a quiet _____ spot for us? | Bizim için sakin bir yeriniz var mı? |
| | *bizim ichin **sakin** biR yeRiniz vaR muh?* |
| Do you have any other ___ pitches available? | Başka boş yeriniz yok mu? |
| | *bashka bosh yeRiniz vaR muh?* |
| It's too windy/sunny/ _____ shady here. | Burası çok rüzgarlı/güneşli/gölgeli |
| | *booRasuh chok rewzgaRluh/gewneshli/gurlgeli* |
| It's too crowded here _____ | Burası çok kalabalık |
| | *booRasuh chok kalabaluhk* |
| The ground's too _____ hard/uneven | Yer çok sert/pürüzlü |
| | *yeR chok seRt/pewRewzlew* |
| Do you have a level _____ spot for the camper/caravan/folding caravan? | Minibüs/karavan/açılır kapanır karavan için düz bir yeriniz var mı? |
| | *minibews/kaRavan/achuluhR kapanuhR kaRavan ichin dewz biR yeRiniz vaR muh?* |
| Could we have adjoining ___ pitches? | Yan yana iki yer alabilir miyiz? |
| | *yan yana iki yeR alabiliR miyiz?* |
| Can we park the car _____ next to the tent? | Arabayı çadırın yanına park edebilir miyiz? |
| | *aRaba-yuh chaduhRuhn yanuhna paRk edebiliR miyiz?* |
| How much is it per _____ person/tent/caravan/car? | Kişi/çadır/karavan/araba başına ne kadar tutar? |
| | *kishi/chaduhR/kaRavan/aRaba bashuhnuh neh kadaR tootaR?* |
| Are there any cabins for ___ hire? | Kiralık kulübeniz var mı? |
| | *kiRaluhk koolewbeniz vaR muh?* |

**7**

**Overnight accommodation**

## Camping equipment
(the diagram shows the numbered parts)

|  | luggage space | bagaj yeri | *bagazh yeRi* |
|---|---|---|---|
|  | can opener | konserve açacağı | *konseRveh achaja:uh* |
|  | butane gas bottle | tüp gaz | *tewp gaz* |
| 1 | pannier | bisiklet çantası | *bisiklet chantasuh* |
| 2 | gas cooker | tüp ocağı | *tewp oja:uh* |
| 3 | groundsheet | zemin örtüsü | *zemin urRtewsew* |
|  | mallet | çekiç | *chekich* |
|  | hammock | hamak | *hamak* |
| 4 | jerry can | bidon | *bidon* |
|  | campfire | kamp ateşi | *kamp ateshi* |
| 5 | folding chair | portatif sandalye | *poRtatif sandalyeh* |
| 6 | insulated picnic box | termos kutusu | *teRmos kootoosoo* |
|  | ice pack | paket buz | *paket booz* |
|  | compass | pusula | *poosoola* |
|  | (incandescent) gas mantle | lamba gömleği | *lamba gurmle:i* |
|  | corkscrew | tirbuşon | *tiRbooshon* |
| 7 | airbed | şişirme yatak | *shishiRmeh yatak* |
| 8 | airbed plug | şişirme yatak hava tıpası | *shishiRmeh yatak hava tuhpasuh* |
|  | pump | pompa | *pompa* |
| 9 | awning | güneşlik | *gewneshlik* |
| 10 | karimat | döşek | *durshek* |
| 11 | pan | tencere | *tenjeReh* |
| 12 | pan handle | kap kacak tutacağı | *kap kajak tootaja:uh* |
|  | primus stove | parafin ocağı | *parafin oja:uh* |
|  | zip | fermuar | *feRmoo-aR* |
| 13 | backpack | sırt çantası | *suhRt chantasuh* |
| 14 | guy rope | germe ipi | *geRmeh ipi* |
|  | sleeping bag | uyku tulumu | *ooykoo tooloomoo* |
| 15 | storm lantern | gemici feneri | *gemiji feneRi* |
|  | camp bed | portatif kamp yatağı | *poRtatif kamp yata:uh* |
|  | table | masa | *masa* |
| 16 | tent | çadır | *chaduhR* |
| 17 | tent peg | çadır kazığı | *chaduhR kazuh:uh* |
| 18 | tent pole | çadır direği | *chaduhR diRe:i* |
|  | vacuum flask | termos | *teRmos* |
| 19 | water bottle | portatif su bidonu | *poRtatif soo bidonoo* |
|  | clothes peg | mandal | *mandal* |
|  | clothes line | çamaşır ipi | *chamashuhR ipi* |
|  | windbreak | rüzgarlık | *rewzgaRluhk* |
| 20 | torch | el feneri | *el feneRi* |
|  | pocket knife | çakı | *chakuh* |

**Overnight accommodation**

| | |
|---|---|
| Are there any...? | ...var mı? |
| | ...*vaR muh?* |
| – hot showers? | Duşlar sıcak sulu mu? |
| | *dooshlaR suhjak sooloo moo?* |
| – washing machines? | Çamaşır makinesi var mı? |
| | *chamashuhR makinesi vaR muh?* |
| Is there a...on the site? | Bu arazide bir...var mı? |
| | *boo aRahzideh biR...vaR muh?* |
| Is there a children's play area on the site? | Bu arazide bir çocuk bahçesi var mı? |
| | *boo aRahzideh biR chocook baHjesi vaR muh?* |
| Are there covered cooking facilities on the site? | Bu arazide bir mutfak var mı? |
| | *boo aRahzideh biR mootfak vaR muh?* |
| Can I rent a safe here? | Burada bir kasa kiralayabilir miyim? |
| | *booRada biR kasa kiRalayabiliR miyim?* |
| Are we allowed to barbecue here? | Burada mangal yakabilir miyiz? |
| | *booRada mangal yakabiliR miyiz?* |
| Are there any power points? | Elektrik bağlantısı var mı? |
| | *elektRik ba:lantuhsuh vaR muh?* |
| Is there drinking water? | İçme suyu var mı? |
| | *ichmeh soo-yoo vaR muh?* |
| When's the rubbish collected? | Çöp ne zaman alınıyor? |
| | *churp neh zaman aluhnuhyoR?* |
| Do you sell gas bottles (butane gas/propane gas)? | Tüp gaz (bütan/propan) satıyor musunuz? |
| | *tewp gaz (bewtan/pRopan) satuhyoR moosoonooz?* |

## 7 .3 Hotel/B&B/apartment/holiday house

| | |
|---|---|
| Do you have a single/double room available? | Tek/iki kişilik boş odanız var mı? |
| | *tek/iki kishilik bosh odanuhz vaR muh?* |
| per person/per room | kişi başına/oda başına |
| | *kishi bashuhna/oda bashuhna* |
| Does that include breakfast/lunch/dinner? | Kahvaltı/öğle yemeği/akşam yemeği dahil mi? |
| | *kaHvaltuh/ur:leh yeme:i/aksham yeme:i dah-hil mi?* |
| Could we have two adjoining rooms? | Yanyana iki odanız var mı? |
| | *yanyana iki odanuhz vaR muh?* |
| with/without toilet/bath/shower | tuvaletli/tuvaletsiz/banyolu/banyosuz/ duşlu/duşsuz |
| | *too-aletli/too-aletsiz/banyoloo/banyosooz/ dooshloo/dooshsooz* |
| (not) facing the street | sokağa bakan (bakmayan) |
| | *soka:a bakan (bakma-yan)* |
| with/without a view of the sea | deniz manzaralı/deniz manzarası olmayan |
| | *deniz manzaRaluh/deniz manzaRasuh olma-yan* |
| Is there...in the hotel? | Otelde...var mı? |
| | *oteldeh...vaR muh?* |
| Is there a lift in the hotel? | Otelde asansör var mı? |
| | *oteldeh asansuR vaR muh?* |
| Do you have room service? | Otelde oda servisi var mı? |
| | *oteldeh oda seRvisi vaR muh?* |
| Could I see the room? | Odayı görebilir miyim? |
| | *odayuh gurRebilir miyim?* |

| | |
|---|---|
| Il take this room_____ | Bu odayı tutuyorum |
| | *boo odayuh tootooyoRoom* |
| Ve don't like this one _____ | Bunu beğenmedik |
| | *boonoo be:enmedik* |
| Do you have a larger/_____ | Daha büyük/ucuz bir odanız var mı? |
| less expensive room? | *da-ha bew-yewk biR odanuhz vaR muh?* |
| Could you put in a cot? ____ | Odaya bir çocuk karyolası yerleştirebilir misiniz? |
| | *odaya biR chojook kaR-yolasuh yeRleshtiRebiliR misiniz?* |
| What time's breakfast? ____ | Kahvaltı saat kaçta? |
| | *kaHvaltuh saht kachta?* |
| Where's the dining _____ | Yemek salonu ne tarafta? |
| room? | *yemek salonoo neh taRafta?* |
| Can I have breakfast_____ | Kahvaltıyı odamda edebilir miyim? |
| in my room? | *kaHvaltuh odamda edebiliR miyim?* |
| Where's the emergency_____ | Acil çıkış/yangın merdiveni ne tarafta? |
| exit/fire escape? | ***ah-jil** chuhkuhsh/yan-guhn meRdiveni neh taRafta?* |
| Where can I park my _____ | Arabamı nereye emniyetle park edebilirim? |
| car (safely)? | *aRabamuh neReyeh emniyetleh paRk edebiliRim?* |

| | |
|---|---|
| Tuvalet ve duş aynı katta/odanızda _____ | You can find the toilet and |
| mevcut | shower on the same |
| | floor/en suite |
| Bu taraftan lütfen_____ | This way, please |
| Odanız...katta, oda numaranız... _____ | Your room is on the...floor, |

| | |
|---|---|
| The key to room..., _____ | ...numaralı odanın anahtarı lütfen |
| please | *...noomaRuhluh odanuhn anaHtaRuh lewtfen* |
| Could you put this in _____ | Bunu emanete verebilir miyim? |
| the safe, please? | *boonoo ema**hneteh** veRebiliR miyim?* |
| Could you wake me _____ | Beni yarın saat...uyandırır mısınız? |
| at...tomorrow? | *beni yaRuhn saht...ooy-anduhRuhR muhsuh-nuhz?* |
| Could you find a _____ | Bana bir çocuk bakıcısı bulabilir misiniz? |
| babysitter for me? | *bana biR chojook bakuhjuhsuh boolabiliR misiniz?* |
| Could I have an extra_____ | Fazladan bir battaniyeniz var mı? |
| blanket? | *fazladan biR bat-taniyeniz vaR muh?* |
| What days do the _____ | Haftanın hangi günleri temizlik yapılıyor? |
| cleaners come in? | *haftanuhn hangi gewnleRi temizlik yapuhluhyoR?* |
| When are the sheets/_____ | Çarşaflar/havlular/mutfak bezleri ne zaman |
| towels/tea towels | değiştiriliyor? |
| changed? | *chaRshaflaR/havloolaR/mutfak bezleRi neh zaman de:ishtiRiliyoR?* |

69

| We can't sleep for _____ the noise | Gürültüden uyuyamıyoruz
*gewRewltewden ooy-ooy-amuhyoRooz* |
| Could you turn the _____ radio down, please? | Radyonun sesini biraz kısar mısınız?
*radyonun sesini biRaz kuhsaR muhsuhnuhz?* |
| We're out of toilet paper ___ | Tuvalet kağıdı bitmiş
*too-alet ka:uhduh bitmish* |
| There aren't any.../there's not enough... | Hiç/yeterince...yok
*hich/yeteRinjeh...yok* |
| The bed linen's dirty _____ | Çarşaflar kirli
*chaRshaflaR kiRli* |
| The room hasn't been _____ cleaned. | Oda temizlenmemiş
*oda temizlenmemish* |
| The kitchen is not clean ___ | Mutfak temiz değil
*mootfak temiz de:il* |
| The kitchen utensils are ___ dirty | Mutfak eşyaları pis
*mootfak eshyalaRuh pis* |
| The heater's not _____ working | Kalorifer çalışmıyor
*kaloRifeR chaluhshmuhyoR* |
| There's no (hot) _____ water/electricity | (Sıcak) su akmıyor/elektrikler kesik
*(suhjak) soo akmuh-yoR/elektRikleR kesik* |
| ...is broken _____ | ...bozuk
*...bozook* |
| Could you have that _____ seen to? | Onu yaptırabilir misiniz?
*onoo yaptuhRabiliR misiniz?* |
| Could I have another _____ room/site? | Başka bir oda/çadır için başka bir yer istiyorum
*bashka biR oda/chaduhR ichin bashka biR yeR istiyoRoom* |
| The bed creaks terribly ___ | Yatak çok gıcırdıyor
*yatak chok guhjuhRduhyoR* |
| The bed sags _____ | Yatak çok çöküyor
*yatak chok churkew-yoR* |
| There are bugs/insects ___ in our room | Döşeğin altına koyabileceğim bir tahtanız var mı
*Dursheːin altuhna koyabilejeːim bir taHtanuhz vaR muh?* |
| This place is full _____ of mosquitos | Burası sivrisinek dolu
*booRasuh sivRisinek doloo* |
| – cockroaches _____ | Burası hamam böceği dolu
*booRasuh hamam burjeːi doloo* |
| – Brits _____ | Burası İngilizlerle dolu
*booRasuh ingilizleRleh doloo* |

.5 Departure

*See also 8.2 Settling the bill*

| I'm leaving tomorrow. Could I settle my bill, please? | Yarın yola çıkıyorum. Hesabı ödeyebilir miyim?
*yaRuhn yola chuhkuhyoRoom. hesabuh urdeyebiliR miyim?* |
| What time should we _____ vacate? | ...saat kaçta boşaltmamız gerek?
*...saht kachta boshaltmamuhz geRek?* |
| Could I have my deposit/ ___ passport back, please? | Kaparoyu/pasaportumu geri verir misiniz?
*kapaRo-yoo/pasapoRtoomoo geRi veRiR misiniz* |

We're in a terrible hurry ___ Çok acelemiz var
*chok ajelemiz vaR*

Could you forward _____ Bana gelen mektupları bu adrese yollayabilir
my mail to this address? misiniz?
*bana gelen mektooplaRuh boo adReseh yol-la-yabiliR misiniz?*

Could we leave our_____ Yola çıkana kadar bavullarımızı buraya
luggage here until we bırakabılır miyiz?
leave? *yola chuhkana kadaR bavool-laRuhmuhzuh booRaya buhRakabiliR miyiz?*

Thanks for your _____ Misafirperverliğinize çok teşekkür ederim
hospitality *misahfiRpeRveRli:inizeh chok teshek-kewR edeRim*

# Money matters

● **Before you travel** (or at the airport when you arrive), change just a
'survival' amount of UK currency into TL, as you will probably get a
better rate at the high-street exchange offices. (These are, incidentally,
quicker and have fewer formalities than banks.) You should be given a
receipt. Keep all receipts carefully, as you could be asked to show
them at border crossings to justify purchases made in Turkey.
Banks – if you need them – are open from 8.30 or 9 through to 12 or
12.30, then from 1.30 to 5 or 5.30. They are closed on Saturdays.

## 8 .1 **B**anks and currency exchange offices

| | |
|---|---|
| Where can I find a _____ bank/an exchange office around here? | Bu civarda nerede bir banka/kambiyo bürosu var? *boo jivaRda neRedeh biR banka/kambiyo bewRosoo vaR?* |
| Where can I cash this _____ traveller's cheque/giro cheque? | Bu seyahat/posta çekini nerede bozdurabilirim? *boo seya-hat/posta chekini neRedeh bozdooRabiliRim?* |
| Can I cash this...here? _____ | Bu...burada bozdurabilir miyim? *boo...booRada bozdooRabiliR miyim?* |
| Can I withdraw money _____ on my credit card here? | Burada kredi kartıyla para çekebilir miyim? *booRada kRedi kaRtuhyla paRa chekebiliR miyim?* |
| What's the minimum/ _____ maximum amount? | En az/en fazla ne kadar çekebilirim? *en az/en fazla neh kadaR chekebiliRim?* |
| Can I take out less _____ than that? | Bundan daha az para çekebilir miyim? *boondan da-ha az paRa chekebiliR miyim?* |
| I've had some money _____ transferred here. Has it arrived yet? | Adıma para transfer edilmişti. Geldi mi acaba? *aduhma paRa tRansfeR edilmishti. geldi mi ajaba?* |
| These are the details of _____ my bank in the UK | Bunlar benim İngiltere'deki bankamın verileri *boonlaR benim ingilteRedeki bankamuhn veRileRi* |
| This is my bank/giro _____ number | Bu benim banka hesabımın/posta çeki hesabımın numarası *boo benim banka hesabuhmuhn/posta cheki hesabuhmuhn noomaRasuh* |
| I'd like to change _____ some money | Para bozdurmak istiyorum *paRa bozdooRmak istiyoRoom* |
| pounds into... _____ | ...sterlin... *...steRlin...* |
| dollars into... _____ | ...dola ... *...dolaR...* |
| What's the exchange _____ rate? | Günlük döviz kuru ne kadar? *gewnlewk durviz kooRoo neh kadaR?* |
| Could you give me _____ some small change with it? | Bir kısmını bozuk para olarak verebilir misiniz? *biR kuhsmuhnuh bozook paRa olaRak veRebiliR misiniz?* |
| This is not right _____ | Bir yanlışlık olmalı *biR yanluhshluhk olmaluh* |

| | |
|---|---|
| Burayı imzalayın_____ | Sign here, please |
| Bunu doldurun _____ | Fill this out, please |
| Pasaportunuzu görebilir miyim? _____ | Could I see your passport, please? |
| Nüfus cüzdanınızı görebilir miyim? _____ | Could I see some identification, please? |
| Posta çeki kartınızı görebilir miyim? _____ | Could I see your girobank card, please? |
| Banka kartınızı görebilir miyim? _____ | Could I see your bank card please? |

## .2 Settling the bill

| | |
|---|---|
| Could you put it on_____ my bill? | Hesabıma geçirebilir misiniz? *hesabuhma gechiRebiliR misiniz?* |
| Does this amount _____ include service? | (Bu hesaba) servis dahil mi? *(boo hesaba) seRvis **dah**-hil mi?* |
| Can I pay by...? _____ | ile ödeyebilir miyim...? *ileh urdeyebiliR miyim...?* |
| Can I pay by credit card?___ | Kredi kartı ile ödeyebilir miyim? *kRedi kaRtuh ileh urdeyebiliR miyim?* |
| Can I pay by traveller's ____ cheque? | Seyahat çeki ile ödeyebilir miyim? *seya-hat cheki ileh urdeyebiliR miyim?* |
| Can I pay with foreign _____ currency? | Döviz ile ödeyebilir miyim? *durviz ileh urdeyebiliR miyim?* |
| You've given me too _____ much/you haven't given me enough change | Paranın üstünü fazla/eksik verdiniz *paRanuhn ewstewnew fazla/eksik veRdiniz* |
| Could you check this _____ again, please? | Bunu bir daha hesaplar mısınız? *boonoo biR da-ha hesaplaR muhsuhnuhz?* |
| Could I have a receipt, ____ please? | Bana bir makbuz/fiş verebilir misiniz? *bana biR makbooz/fish veRebiliR misiniz?* |
| I don't have enough _____ money on me | Yanımda yeterince para yok *yanuhmda yeteRinjeh paRa yok* |
| This is for you _____ | Buyurun, bu sizin *booyooRoon, boo sizin* |
| Keep the change _____ | Paranın üstü kalsın *paRanuhn ewstew kalsuhn* |

| | |
|---|---|
| Kredi kartı/seyahat çeki/döviz kabul _____ etmiyoruz | We don't accept credit cards/traveller's cheques/foreign currency |

# Post and telephone

# **9** **P**ost and telephone

## **9** .1 **P**ost

*For giros, see 8 Money matters*

● **Post offices** The central post offices in cities (PTTs) are open from 8 am till 8 pm, or even later, Monday to Saturday, and from 9 till 7 on Sundays. Smaller post offices are open for normal business hours. Postal services are comparable with those on offer throughout Europe. Delivery times are a little slower than in some countries, but are by no means the slowest in Europe.

| | | |
|---|---|---|
| havale | pul | telgraf |
| money order | stamps | telegrams |
| paketler | | |
| parcels | | |

| | |
|---|---|
| Where's...? _____ | ...nerede? |
| | *...neRedeh?* |
| Where's the post office? ___ | Bu civarda nerede bir postane var? |
| | *boo jivaRda neRedeh biR postaneh vaR?* |
| Where's the main post_____ office? | Merkez postane nerede? |
| | *meRkez postaneh neRedeh?* |
| Where's the postbox? _____ | Bu civarda nerede bir posta kutusu var? |
| | *boo jivaRda neRedeh biR posta kootoosoo vaR?* |
| Which counter should _____ I go to...? | Hangi gişede...? |
| | *hangi gishedeh...?* |
| – to send a fax _____ | Hangi gişede faks çektirebilirim? |
| | *hangi gishedeh faks chektiRebiliRim?* |
| – to change money _____ | Hangi gişede para bozdurabilirim? |
| | *hangi gishedeh paRa bozdooRabiliRim?* |
| – to change giro cheques _ | Hangi gişede posta çeki bozdurabilirim? |
| | *hangi gishedeh posta cheki bozdooRabiliRim?* |
| – for a Telegraph Money ___ Order? | Hangi gişede havale çektirebilirim? |
| | *hangi gishedeh havaleh chektiRebiliRim?* |
| Poste restante_____ | Postrestant |
| | *postRestant* |
| Is there any mail for me. ___ My name's... | Bana posta var mı? Adım... |
| | *bana posta vaR muh? aduhm...* |

### *Stamps*

| | |
|---|---|
| What's the postage _____ for a...to...? | ...gidecek...için kaç liralık posta pulu yapıştırmam gerek? |
| | *...gidejek...ichin kach liRaluhk posta pooloo yapuhshtuhRmam geRek?* |
| Are there enough _____ stamps on it? | Yeterince pul yapıştırmış mıyım? |
| | *yeteRinjeh pool yapuhshtuhRmuhsh muhyuhm?* |
| I'd like... ...Lira stamps ____ | ...liralık...tane posta pulu istiyorum |
| | *...liRaluhk...taneh posta pooloo istiyoRoom* |
| I'd like to send this... _____ | Bunu...yollamak istiyorum |
| | *boono...yol-lamak istiyoRoom* |

| | |
|---|---|
| – express _____ | Bunu acele posta servisi ile yollamak istiyorum |
| | *boonoo ahjeleh posta seRvisi ileh yol-lamak* |
| | *istiyoRoom* |
| – by air mail _____ | Bunu uçak ile yollamak istiyorum |
| | *boonoo oochak ileh yol-lamak istiyoRoom* |
| – by registered mail _____ | Bunu iadeli taahhütlü yollamak istiyorum |
| | *boonoo i-**ahd**eli **tah**-hewtlew yol-lamak* |
| | *istiyoRoom* |

### Telegram / fax

| | |
|---|---|
| I'd like to send a _____ | ...telgraf çekmek istiyorum |
| telegram to... | *...**teleg**Raf chekmek istiyoRoom* |
| How much is that _____ | Kelimesi kaç lira? |
| per word? | *kelimesi kach liRa?* |
| This is the text I want_____ | Bu yollamak istediğim metin |
| to send | *boo yol-lamak istedi:im metin* |
| Shall I fill out the form_____ | Formu kendim doldurayım mı? |
| myself? | *foRmoo kendim doldooRa-yuhm muh?* |
| Can I make photocopies/___ | Burada fotokopi/faks çekebilir miyim? |
| send a fax here? | *booRada fotokopi/faks chekebiliR miyim?* |
| How much is it_____ | Sayfası kaç lira? |
| per page? | *sifasuh kach liRa?* |

## 9 .2 Telephone

### See also 1.8 Telephone alphabet

● **The PTTs have public phones** as well as postal facilities.
These may be better for international calls than the phone-booths in
the street. Public telephones do not take coins but tokens (jetons)
available from the PTT. Particularly for long-distance or international
calls, it is far easier to buy a phonecard (also from
the PTT).
As in most countries, dial 00 44 for the UK, or 00 1 for the USA, then
miss out the initial zero from the area code.

| | |
|---|---|
| Is there a phone box _____ | Bu civarda bir telefon kulübesi var mı? |
| around here? | *boo jivaRda biR telefon koolewbesi vaR muh?* |
| Could I use your _____ | Telefonunuzu kullanabilir miyim? |
| phone, please? | *telefonoonoozoo kul-lanabiliR miyim?* |
| Do you have a _____ | Sizde (şehrinin/yöresinin)...telefon rehberi var mı? |
| (city/region)...phone | *sizdeh (seHrinin/yurResinin)...telefon reHbeRi* |
| directory? | *vaR muh?* |
| Where can I get a _____ | Nereden telefon kartı satın alabilirim? |
| phone card? | *neReden telefon kaRtuh satuhn alabiliRim?* |
| Could you give me...? _____ | ...verir misiniz? |
| | *...veRiR misiniz?* |
| - the number for _____ | Bana yurt dışı istihbarat numarasını verir |
| international directory | misiniz? |
| enquiries | *bana yooRt duhshuh istiHbaRat* |
| | *noomaRasuhnuh veRiR misiniz?* |
| - the number of room... ___ | ...numaralı odanın telefon numarasını verir |
| | misiniz? |
| | *...noomaRaluh odanuhn telefon noomaRasuhnuh* |
| | *veRiR misiniz?* |

| – the international access code | Bana yurt dışı arama kodunu verir misiniz? |
| | *bana yooRt duhshshsh aRama kodoonoo veRiR misiniz?* |
| – the country code for... | ...ülke kod numarasını verir misiniz? |
| | *...ewlkeh kod noomaRasuhnuh veRiR misiniz?* |
| – the trunk code for... | ...şehir kod numarasını verir misiniz? |
| | *...shehiR kod noomaRasuhnuh veRiR misiniz?* |
| – the number of... | ...telefon numarasını verir misiniz? |
| | *...telefon noomaRasuhnuh veRiR misiniz?* |
| Could you check if this number's correct? | Bu numaranın doğru mu yanlış mı olduğunu soruşturabilir misiniz? |
| | *boo noomaRanuhn do:Roo moo yanluhsh muh oldoo:oonoo soRooshtooRabiliR misiniz?* |
| Can I dial international direct? | Yurt dışına otomatik olarak telefon açabilir miyim? |
| | *yooRt duhshuhna otomatik olaRak telefon achabiliR miyim?* |
| Do I have to go through the switchboard? | Santral aracılığı ile mi aramam gerek? |
| | *santral aRajuhluh:uh ileh mi aRamam geRek?* |
| Do I have to dial '0' first? | Önce sıfırı mı çevirmem gerekiyor? |
| | *urnje suhfuhRuh muh cheviRmem geRekiyoR?* |
| Do I have to book my calls? | Numarayı bağlatmam mı gerekiyor? |
| | *noomaRa-yuh ba:latmam muh geRekiyoR?* |
| Could you dial this number for me, please? | Benim için bu numarayı arar mısınız? |
| | *benim ichin boo noomaRa-yuh aRaR muhsuhnuhz?* |
| Could you put me through to.../extension..., please? | Beni...numara/... numaralı hat ile bağlayabilir misiniz? |
| | *beni...noomaRa/...noomaRaluh hat ileh ba:layabiliR misiniz?* |
| I'd like to place a reverse-charge call to... | ...numarayı ödemeli olarak aramak istiyorum |
| | *...noomaRa-yuh urdemeli olaRak aRamak istiyoRoom* |
| What's the charge per minute? | Dakikası kaç lira? |
| | *dakikasuh kach liRa?* |
| Have there been any calls for me? | Beni arayan oldu mu? |
| | *beni aRa-yan oldoo moo?* |

**The conversation**

| Hello, this is... | İyi günler, ...ile görüşüyorsunuz |
| | *iyi gewnleR, ...ileh gurRewshew-yoRsoonooz* |
| Who is this, please? | Kiminle görüşüyorum? |
| | *kiminleh gurRewshew-yoRoom?* |
| Is this...? | ... ile mi görüşüyorum? |
| | *... ileh mi gurRewshew-yoRoom?* |
| I'm sorry, I've dialled the wrong number | Özür dilerim, yanlış numarayı çevirmişim |
| | *urzewR dileRim, yanluhsh noomaRa-yuh cheviRmishim* |
| I can't hear you | Sizi duyamıyorum |
| | *sizi dooy-amuhyoRoom* |
| I'd like to speak to... | ...ile görüşmek istiyorum |
| | *...ileh gurRewshmek istiyoRoom* |
| Is there anybody who speaks English? | İngilizce konuşmasını bilen biri var mı? |
| | *ingilizjeh konooshmahsuhnuh bilen biRi vaR muh?* |
| Extension..., please | ...numaralı hattı bağlar mısınız? |
| | *...noomaRaluh hat-tuh ba:laR muhsuhnuhz?* |

| English | Turkish | Pronunciation |
|---|---|---|
| Could you ask him/her to call me back? | Beni aramasını söyler misiniz? | *beni aRamasuhnuh suhyleR misiniz?* |
| My name's... | Adım...Telefon numaram... | *aduhm...telefon noomaRa ...* |
| My number's... | | |
| Could you tell him/her I called? | Aradığımı kendisine iletir misiniz? | *aRaduh:uhmuh kendisineh iletiR misiniz?* |
| I'll call back tomorrow | Kendisini yarın tekrar ararım | *kendisini yaRuhn tekRaR aRaRuhm* |

| | |
|---|---|
| Size telefon var _____ | There's a phone call for you |
| Önce sıfırı çevirmeniz gerekiyor _____ | You have to dial '0' first |
| Bir saniye lütfen _____ | One moment, please |
| Cevap vermiyor _____ | There's no answer |
| Telefon meşgul _____ | The line's engaged |
| Lütfen bekleyiniz _____ | Do you want to hold? |
| Sizi bağlıyorum _____ | Putting you through |
| Elinizdeki numara yanlış _____ | You've got a wrong number |
| Kendileri şu anda burada yok _____ | He's/she's not here right now |
| Kendileri...kadar burada olacak _____ | He'll/she'll be back... |
| Bu...telesekreteri _____ | This is the answering machine of... |

# Shopping

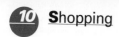

# 10 **S**hopping

● **Opening times:** Shops are open from 9 am to 7 pm or even later.
Some shops (bakers and food-shops) are open on Sunday mornings.

| | | |
|---|---|---|
| alış veriş merkezi | dükkan | mobilyacı |
| **shopping centre** | **shop** | **furniture shop** |
| ayakkabı mağazası | eczane | müzikçi |
| **shoe shop** | **chemist** | **music shop** |
| ayakkabı tamircisi | elektrikli cihazlar | nalbur |
| **cobbler** | **electrical appliances** | **hardware shop** |
| baharatçı | fırın | oyuncakçı |
| **herbalist** | **bakery** | **toy shop** |
| bakkal | fotoğraf stüdyosu | parfümeri |
| **grocer's shop** | **photographer's** | **cosmetics and perfume** |
| baklavacı | **studio** | **shop/department** |
| **baklava shop** | gazete bayii | pasaj |
| balıkçı | **newsagent's** | **arcade** |
| **fishmonger** | giyim mağazası | pastane |
| berber | **clothes shop** | **cake shop** |
| **barber** | gözlükçü | pazar |
| bijuteri | **optician's** | **market** |
| **jeweller** | güzellik merkezi | postane |
| bisiklet tamircisi | **beauty centre** | **post office** |
| **cycle repair shop** | hediyelik eşya | saat tamircisi |
| büfe | **gift shop** | **watch and clock repair** |
| **free-standing kiosk** | kapalı çarşı | **shop** |
| **selling newspapers,** | **covered market (in** | şarküteri |
| **cigarettes, milk and** | **İstanbul Grand Bazaar)** | **delicatessen** |
| **cold drinks** | kasap | satış mağazası |
| butik | **butchers** | **direct factory sales** |
| **boutique** | kırtasiye | **outlet** |
| çay bahçesi | **stationery shop** | spor mağazası |
| **tea garden** | kitabevi | **sports shop** |
| çiçekçi | **book shop** | süpermarket |
| **florist** | kuaför | **supermarket** |
| çömlekçi | **hairdresser's** | tekel |
| **shop selling** | kürk mağazası | **off-licence, wine shop** |
| **(earthenware) pots** | **furriers** | terzi |
| deri giyim mağazası | kuru temizleme | **tailor (either gents or** |
| **leather-wear shop** | **dry cleaners** | **ladies)** |
| dondurmacı | manav | |
| **ice-cream seller** | **greengrocers** | |

## 10 .1 **S**hopping conversations

| | |
|---|---|
| Where can I get...? _____ | Hangi dükkandan...satın alabilirim? |
| | *hangi dewk-**kahn-dan** satuhn alabiliRim?* |
| When does this shop _____ open? | Bu dükkan saat kaçta açılıyor? |
| | *boo dewk-**kahn** saht kachta achuhluhyoR?* |
| Could you tell me _____ where the...department is? | Bana...reyonunu gösterebilir misiniz? |
| | *bana...reyonoonoo gursterebiliR misiniz?* |
| Could you help me, _____ please? I'm looking for... | Bana yardım edebilir misiniz?...arıyorum |
| | *bana yaRduhm edebiliR misiniz?...aRuhyoRoom* |

| | |
|---|---|
| Do you sell English/ _____ American newspapers? | İngiliz ve Amerikan gazetesi satıyor musunuz? *ingilizj ve ameRikan gazetesi satuhyoR moosoonooz?* |

---

| | |
|---|---|
| Size yardımcı olan var mı? _____ | **Are you being served?** |

---

| | |
|---|---|
| No, I'd like... _____ | Hayır...istiyordum *ha-yuhR...istiyoRdoom* |
| I'm just looking, _____ if that's all right | Mahsuru yoksa sadece bakıyorum *maHsooRoo yoksa sadejeh bakuhyoRoom* |

---

| | |
|---|---|
| Başka bir şey ister miydiniz? _____ | **Anything else?** |

---

| | |
|---|---|
| Yes, I'd also like... _____ | Evet, bana...verin *evet...bana veRin* |
| No, thank you. That's all \_\_\_ | Hayır, teşekkür ederim. Bu kadar *ha-yuhr, teshek-kewR edeRim. boo kadaR* |
| Could you show me...? \_\_\_ | Bana...gösterebilir misiniz? *bana...gursteRebiliR misiniz?* |
| I'd prefer... _____ | ...tercih ediyorum *...teRji-h-ediyoRoom* |
| This is not what I'm _____ looking for | Aradığım bu değil *aRaduh:uhm boo de:il* |
| Thank you. I'll keep_____ looking | Teşekkür ederim. Birkaç yere daha bakacağım *teshek-kewR edeRim. biRkach yeReh da-ha bakaja:uhm* |
| Do you have _____ something...? | Daha...bir şeyiniz yok mu? *da-ha...biR sheyiniz yok moo?* |
| – less expensive?_____ | Daha ucuz bir şeyiniz yok mu? *da-ha oojooz biR sheyiniz yok moo?* |
| – something smaller? \_\_\_\_\_ | Daha küçük bir şeyiniz yok mu? *da-ha kewchewk biR sheyiniz yok moo?* |
| – something larger? _____ | Daha büyük bir şeyiniz yok mu? *da-ha bew-yewk biR sheyiniz yok moo?* |
| I'll take this one _____ | Bunu alıyorum *boonoo aluhyoRoom* |
| Does it come with _____ instructions? | İçinde kullanma talimatı var mı? *ichindeh kul-lanma talimatuh vaR muh?* |
| It's too expensive _____ | Çok pahalı *chok pa-haluh* |
| I'll give you... _____ | ...liraya verirseniz, alırım *...liRa-ya veRiRseniz, aluhRuhm* |
| Could you keep this for \_\_\_ me? I'll come back for it later | Bunu benim için bir kenara ayırır mısınız? Biraz sonra gelir alırım *boonoo benim ichin biR kenaRa a-yuhRuhR muhsuhnuhz? biRaz sonRa geliR aluhRuhm* |

| | |
|---|---|
| Have you got a bag _____ for me, please? | Naylon torbanız var mı? |
| | *nílon toRbanuhz vaR muh?* |
| Could you giftwrap _____ it, please? | Hediyelik kağıda sarar mısınız? |
| | *hediyelik ka:uhda saRaR muhsuhnuhz?* |

| | |
|---|---|
| Kusura bakmayın, elimizde yok _____ | I'm sorry, we don't have that |
| Kusura bakmayın, sonuncusu da satıldı _____ | I'm sorry, we're sold out |
| Kusura bakmayın,...gelecek _____ | I'm sorry, that won't be in until... |
| Kasaya ödeyiniz _____ | You can pay at the cash desk |
| Kredi kartı kabul etmiyoruz _____ | We don't accept credit cards |
| Seyahat çeki kabul etmiyoruz _____ | We don't accept traveller's cheques |
| Döviz kabul etmiyoruz _____ | We don't accept foreign currency |

## 10 .2 Food

| English | Turkish |
|---|---|
| I'd like a hundred _____ grams of..., please | Yüz gram...istiyorum |
| | *yewz gRam...istiyoRoom* |
| – five hundred grams/ _____ half a kilo of... | Yarım kilo...istiyorum |
| | *yaRuhm kilo istiyoRoom* |
| – a kilo of... _____ | Bir kilo...istiyorum |
| | *biR kilo...istiyoRoom* |
| Could you...it for me, _____ please? | Bunu benim için...? |
| | *boonoo benim ichin...?* |
| Could you slice it/ _____ dice it for me, please? | Bunu benim için dilimler/keser misiniz? |
| | *boonoo benim ichin dilimleR/keseR misiniz?* |
| Could you grate it _____ for me, please? | Bunu benim için rendeler misiniz? |
| | *boonoo benim ichin rendeleR misiniz?* |
| Can I order it? _____ | Ismarlıyabilir miyim? |
| | *uhsmaRluhyabiliR miyim?* |
| I'll pick it up tomorrow/ _____ at... | Yarın/saat...gelir alırım |
| | *yaRuhn/saht...geliR aluhRuhm* |
| Can you eat/drink this? _____ | Bu yiyecek/içecek mi? |
| | *boo yiyejek/ichejek mi?* |
| What's in it? _____ | İçinde ne var? |
| | *ichindeh neh vaR?* |

## 10 .3 Clothing and shoes

| English | Turkish |
|---|---|
| I saw something in the _____ window. Shall I point it out? | Vitrinde bir şey gördüm. Göstereyim mi? |
| | *vitRindeh biR shey gurRdewm. gursteReyim mi?* |
| I'd like something to _____ go with this | Buna uyan bir şey istiyorum |
| | *boona ooyan biR shey istiyoRoom* |
| Do you have shoes _____ to match this? | Bu renk ayakkabınız var mı? |
| | *boo renk a-yak-kabuhnuhz vaR muh?* |
| I'm a size...in the UK _____ | İngiltere'de...bedenim |
| | *ingilteRedeh...bedenim* |

| | |
|---|---|
| Can I try this on? | Bunu deneyebilir miyim? *boonoo deneyebiliR miyim?* |
| Where's the fitting room? | Kabin nerede? *kabin neRedeh?* |
| It doesn't fit | Olmadı *olmaduh* |
| This is the right size | Bu beden iyi *boo beden iyi* |
| It doesn't suit me | Yakışmadı *yakuhshmaduh* |
| Do you have this/ these in...? | Bunun...rengi var mı? *boonoon...rengi vaR muh?* |
| The heel's too high/low | Topuğu çok yüksek/alçak *topoo:oo chok yewksek/alchak* |
| Is this/are these genuine leather? | Bu/bunlar hakiki deri mi? *boo/boonlaR hakiki deRi mi?* |
| I'm looking for a... for a...-year-old baby/child | ...yaşındaki bebek/çocuk için...arıyorum *...yashuhndahki bebek/chojook ichin...aRuhyoRoom* |
| I'd like a... ... | ...bir...istiyorum *biR...istiyoRoom* |
| – silk | İpekten bir...istiyorum *ipekten biR...istiyoRoom* |
| – cotton | Pamuklu bir...istiyorum *pamookloo bi ...istiyoRoom* |
| – woollen | Yün bir...istiyorum *yewn biR...istiyoRoom* |
| – linen | Keten bir...istiyorum *keten biR...istiyoRoom* |
| What temperature can I wash it at? | Bunu kaç derecede yıkayabilirim? *boonoo kach deRejedeh yuhka-yabiliRim?* |
| Will it shrink in the wash? | Yıkandığında çeker mi? *yuhkanduh:uhnda chekeR mi?* |

| | | |
|---|---|---|
| ýtülemeyin | Islak asın | Elde yıkayın |
| Do not iron | Drip dry | Hand wash |
| Sıkmayın | Kuru temizleme | Makinede yıkanır |
| Do not spin dry | Dry clean | Machine wash |

### At the cobbler's

| | |
|---|---|
| Could you mend these shoes? | Bu ayakkabıları tamir edebilir misiniz? *boo a-yak-kabuhlaRuh tahmiR edebiliR misiniz?* |
| Could you put new soles/heels on these? | Köseleyi/topukları yenileyebilir misiniz? *kursheleyi/topooklaRuh yenileyebiliR misiniz?* |
| When will they be ready? | Ne zaman hazır olurlar? *neh zaman hazuhR olooRlaR?* |
| I'd like..., please | ...istiyorum *...istiyoRoom* |
| – a tin of shoe polish | Bir kutu ayakkabı boyası istiyorum *biR kootoo ayuhk-kabuhsuh boyasuh istiyoRoom* |
| – a pair of shoelaces | Bir çift ayakkabı bağı istiyorum *biR chift ayak-kabuh ba:uh istiyoRoom* |

# 10.4 Photographs and video

| | |
|---|---|
| I'd like a film for this camera, please | Bu makine için bir film istiyorum |
| | *boo makineh ichin biR film istiyoRoom* |
| – a cartridge | Bu makine için bir kaset film istiyorum |
| | *boo makineh ichin biR kaset film istiyoRoom* |
| – a one twenty-six cartridge | Bu makine için yüz yirmi altılık bir kaset film istiyorum |
| | *boo makineh ichin yewz yiRmi altuhluhk biR kaset film istiyoRoom* |
| – a slide film | Bu makine için bir slayt istiyorum |
| | *boo makineh ichin biR slít istiyoRoom* |
| – a film cartridge | Bu makine için film kaseti istiyorum |
| | *boo makineh ichin film kaseti istiyoRoom* |
| – a videotape | Video kaseti istiyorum |
| | *video kaseti istiyoRoom* |
| colour/black and white | renkli/siyah beyaz |
| | *renkli/siyaH beyaz* |
| super eight | süper sekiz |
| | *sewpeR sekiz* |
| 12/24/36 exposures | on iki/yirmi dört/otuz altı pozluk |
| | *on iki/yiRmi durRt/otooz altuh pozlook* |
| ASA/DIN number | ASA/DIN sayısı |
| | *asa/din sa-yuhsuh* |
| daylight film | doğal ışık için film |
| | *do:al uhshuhk ichin film* |
| film for artificial light | yapay ışık için film |
| | *yapí uhshuhk ichin film* |

## Problems

| | |
|---|---|
| Could you load the film for me, please? | Filmi makineye takar mısınız? |
| | *filmi makineyeh takaR muhsuhnuhz?* |
| Could you take the film out for me, please? | Filmi makineden çıkarır mısınız? |
| | *filmi makineden chuhkaRuhR muhsuhnuhz?* |
| Should I replace the batteries? | Pilleri değiştirmem gerekir mi? |
| | *pil-leRi de:ishtiRmem geRekiR mi?* |
| Could you have a look at my camera, please? It's not working | Makineme bir bakar mısınız? Çalışmıyor |
| | *makinemeh biR bakaR muhsuhnuhz? chaluhshmuhyoR* |
| The...is broken | ...bozuk |
| | *...bozook* |
| The film's jammed | Film takılmış |
| | *film takuhlmuhsh* |
| The film's broken | Film yırtılmış |
| | *film yuhRtuhlmuhsh* |
| The flash isn't working | Flaş çalışmıyor |
| | *flash chaluhshmuhyoR* |

Shopping 10

### Processing and prints

| | |
|---|---|
| I'd like to have this film _____ developed/printed, please | Bu filmi banyo ettirmek/bastırmak istiyorum<br>*boo filmi banyo et-tiRmek/bastuhRmak istiyoRoom* |
| I'd like...prints from _____ each negative | Her negatiften...baskı istiyorum<br>*heR negatiften...baskuh istiyoRoom* |
| glossy/mat _____ | parlak/mat<br>*paRlak/mat* |
| 6x9 _____ | altı çarpı dokuz<br>*altuh chaRpuh dokooz* |
| I'd like to re-order _____ these photos | Bu fotoğrafları çoğalttırmak istiyorum<br>*boo foto:Raflaruh cho:alt-tuhRmak istiyoRoom* |
| I'd like to have this _____ photo enlarged | Bu fotoğrafı büyüttürmek istiyorum<br>*boo foto:Rafuh bew-yewt-tewRmek istiyoRoom* |
| How much is _____ processing? | Banyo ettirmek ne kadar tutar?<br>*banyo et-tiRmek neh kadaR tootaR?* |
| – printing _____ | Fotoğrafları bastırmak ne kadar tutar?<br>*foto:RaflaRuh bastuhRmak neh kadaR tootaR?* |
| – it to re-order _____ | Fotoğrafları çoğalttırmak ne kadar tutar?<br>*foto:RaflaRuh cho:alt-tuhRmak neh kadaR tootaR?* |
| – the enlargement _____ | Fotoğrafları büyüttürmek ne kadar tutar?<br>*foto:RaflaRuh bew-yewt-tewRmek neh kadaR tootaR?* |
| When will they _____ be ready? | Ne zaman hazır olurlar?<br>*neh zaman hazuhR olooRlaR?* |

## 10.5 At the hairdresser's

| | |
|---|---|
| Do I have to make an _____ appointment? | Randevu almam gerekiyor mu?<br>*randevoo almam geRekiyoR moo?* |
| Can I come in straight _____ away? | Bana şimdi yardımcı olabilir misiniz?<br>*bana shimdi yaRduhmjuh olabiliR misiniz?* |
| How long will I have _____ to wait? | Ne kadar beklemem gerekiyor?<br>*neh kadaR beklemem geRekiyoR?* |
| I'd like a shampoo/ _____ haircut | Saçımı yıkatmak/kestirmek istiyorum<br>*sachumuh yuhkatmak/kestiRmek istiyoRoom* |
| I'd like a shampoo for _____ oily/dry hair, please | Yağlı/kuru saç için şampuan istiyorum<br>*ya:luh/kooRoo sach ichin shampooan istiyoRoom* |
| – an anti-dandruff _____ shampoo | Kepekli saç için şampuan istiyorum<br>*kepekli sach ichin shampooan istiyoRoom* |
| – a shampoo for _____ permed/coloured hair | Permalı saç/boyalı saç için şampuan istiyorum<br>*peRmaluh sach/boy-aluh sach ichin shampooan istiyoRoom* |
| – a colour rinse shampoo _____ | Boyalı şampuan istiyorum<br>*boy-aluh shampooan istiyoRoom* |
| – a shampoo with _____ conditioner | Kremli şampuan istiyorum<br>*kRemli shampooan istiyoRoom* |
| – highlights _____ | Saçlarıma röfle yaptırmak istiyorum<br>*sachlaRuhma rurfleh yaptuhRmak istiyoRoom* |
| Do you have a colour _____ chart, please? | Renk kataloğunuz var mı?<br>*renk katalo:oonooz vaR muh?* |

| English | Turkish / Pronunciation |
|---|---|
| I want to keep it the same colour | Saçımın aynı renk kalmasını istiyorum *sachuhmuhn ínuh renk kalmasuhnuh istiyoRoom* |
| I'd like it darker/lighter | Saçımın daha koyu/açık olmasını istiyorum *sachuhmuhn da-ha koyoo/achuhk olmasuhnuh istiyoRoom* |
| I'd like/I don't want hairspray | Saç spreyi istiyorum (istemiyorum) *sach spreyi istiyoRoom (istemiyoRoom)* |
| – gel | Saçıma jöle sürmenizi istiyorum (istemiyorum) *sachuhma zhurleh sewRmenizi istiyoRoom (istemiyoRoom)* |
| – lotion | Saçıma losyon sürmenizi istiyorum (istemiyorum) *sachuhma losyon sewRmenizi istiyoRoom (istemiyoRoom)* |
| I'd like a short fringe | Kakülümün kısa olmasını istiyorum *kahkewlewmewn kuhsa olmasuhnuh istiyoRoom* |
| Not too short at the back | Saçımın arkasından çok almayın *sachuhmuhn aRkasuhndan chok alma-yuhn* |
| Not too long here | Burasını çok uzun bırakmayın *booRasuhnuh chok oozoon buhRakma-yuhn* |
| I'd like/I don't want (many) curls | (çok) dalgalı olsun (olmasın) *(chok) dalgaluh olsoon (olmasuhn)* |
| It needs a little/ a lot taken off | Saçımın çok az/saçımın kısa kesilmesi gerek *sachuhmuhn chok az/sachuhmuhn kuhsa kesilmesi geRek* |
| I want a completely different style | Değişik bir model istiyorum *de:ishik biR model istiyoRoom* |
| I'd like it the same... | Saçımın...gibi olmasını istiyorum *sachuhmuhn...gibi olmasuhnuh istiyoRoom* |
| – as that lady's | Saçımın o bayanınki gibi olmasını istiyorum *sachuhmuhn o ba-yanuhnki gibi olmasuhnuh istiyoRoom* |
| – as in this photo | Saçımın bu resimdeki gibi olmasını istiyorum *sachuhmuhn boo resimdeki gibi olmasuhnuh istiyoRoom* |
| Could you put the drier up/down a bit? | Saç kurutma makinesini açar/kısar mısınız? *sach kooRootma makinesini achaR/kuhsaR muhsuhnuhz?* |
| I'd like a facial | Yüzüme temizleyici maske yaptırmak istiyorum *yewzewme temizleyiji maskeh yaptuhRmak istiyoRoom* |
| – a manicure | Manikür yaptırmak istiyorum *manikewR yaptuhRmak istiyoRoom* |
| – a massage | Masaj yaptırmak istiyorum *masazh yaptuhRmak istiyoRoom* |
| Could you trim my fringe? | Kakülümün ucundan alır mısınız? *kakewlewmewn oojoondan aluhR muhsuhnuhz?* |
| – my beard? | Sakalımın ucundan alır mısınız? *sakaluhmuhn oojoondan aluhR muhsuhnuhz?* |
| – my moustache? | Bıyığımın ucundan alır mısınız? *buhyuhmuhn oojoondan aluhR muhsuhnuhz?* |

I'd like a shave, please_____ Sakal tıraşı lütfen
*sakal tuhRashuh lewtfen*

I'd like a wet shave, _____ Tıraş olmak istiyorum
please *tuhRash olmak istiyoRoom*

Saçınızın nasıl kesilmesini isterdiniz? _____ How do you want it cut?

Hangi modeli isterdiniz? _____ What style did you have in mind?

Saçınızın hangi renge boyanmasını _____ What colour did you
isterdiniz? want it?

Bu sıcaklık iyi mi? _____ Is the temperature all right for you?

Okuyacak bir şey ister misiniz? _____ Would you like something to read?

Bir şey içer misiniz? _____ Would you like a drink?

Nasıl, beğendiniz mi? _____ Is this what you had in mind?

# At the Tourist Information Centre

# 11 **At** the Tourist Information Centre

(side tab) **At the Tourist Information Centre**

## 11 .1 **P**laces of interest

| | |
|---|---|
| Where's the Tourist Information, please? | Danışma bürosu nerede? *danuhshma bewRosoo neRedeh?* |
| Do you have a city map? | Sizde şehrin haritası var mı? *sizdeh sheHrin haRitasuh vaR muh?* |
| Could you give me some information about...? | Bana...hakkında bilgi verebilir misiniz? *bana...hak-kuhnda bilgi veRebiliR misiniz?* |
| How much is that? | Borcum ne kadar? *boRjum neh kadaR?* |
| What are the main places of interest? | Görülmeye değer ne var? *gurRewlmeyeh de:eR neh vaR?* |
| Could you point them out on the map? | Haritada gösterebilir misiniz? *haRitada gursteRebiliR misiniz?* |
| What do you recommend? | Ne tavsiye edersiniz? *neh tavsiyeh edeRsiniz?* |
| We'll be here for a few hours | Burada birkaç saat kalacağız *booRada biRkach saht kalaja:uhz* |
| – a day | Burada bir gün kalacağız *booRada biR gewn kalaja:uhz* |
| – a week | Burada bir hafta kalacağız *booRada biR hafta kalaja:uhz* |
| We're interested in... | ...ilgimizi çekiyor *...ilgimizi chekiyoR* |
| Is there a scenic walk around the city? | Şehirde gezinti yapmak için güzel yerler var mı? *sheHiRdeh gezinti yapmak ichin gewzel yeRleR vaR muh?* |
| How long does it take? | Ne kadar sürer? *neh kadaR sewReR?* |
| Where does it start/end? | Başlangıç/bitiş noktası nerede? *bashlan-guhch/bitish noktasuh neRedeh?* |
| Are there any boat cruises here? | Burada gezi vapourları var mı? *booRada gezi vapooRlaRuh vaR muh?* |
| Where can we board? | Nereden binebiliriz? *neReden binebiliRiz?* |
| Are there any bus tours? | Otobüsle gezi turu var mı? *otobewsleh gezi tooRoo vaR muh?* |
| Where do we get on? | Nereden binebiliriz? *neReden binebiliRiz?* |
| Is there a guide who speaks English? | İngilizce konuşmasını bilen bir rehber var mı? *ingilizjeh konooshmasuhnuh bilen biR reHbeR vaR muh?* |
| What trips can we take around the area? | Çevrede ne gibi gezintiler yapmak mümkün? *chevRedeh neh gibi gezintileR yapmak mewmkewn?* |
| Are there any excursions? | Turistik geziler var mı? *tooRistik gezileR vaR muh?* |
| Where do they go to? | Nereye gezi var? *neReyeh gezi vaR?* |
| We'd like to go to... | ... gitmek istiyoruz *... gitmek istiyoRooz* |

| | |
|---|---|
| How long is the trip? _____ | Gezi ne kadar sürer? |
| | *gezi neh kadaR sewReR?* |
| How long do we _____ stay in...? | ...ne kadar kalacağız? |
| | *...neh kadaR kalaja:uhz?* |
| Are there any guided _____ tours? | Rehber eşliğinde gezileriniz var mı? |
| | *reHbeR eshli:indeh gezileRiniz vaR muh?* |
| How much free time _____ will we have there? | Gezmek için ne kadar zamanımız var? |
| | *gezmek ichin neh kadaR zamanuhmuhz vaR?* |
| We want to go hiking _____ | Hiking yapmak istiyoruz |
| | *hiking yapmak istiyoRooz* |
| Can we hire a guide? _____ | Bir rehber kiralayabilir miyiz? |
| | *biR reHbeR kiRala-yabiliR miyiz?* |
| Can I book mountain _____ huts? | Dağ kulübesi ayırtabilir miyim? |
| | *da: koolewbesi a-yuhRtabiliR miyim?* |
| What time does... _____ open/close? | ...saat kaçta açılıyor/kapanıyor? |
| | *...saht kachta achuhluhyoR/kapanuhyoR* |
| What days is...open/_____ closed? | ...haftanın hangi günleri açık/kapalı? |
| | *...haftanuhn hangi gewnleRi achuhk/kapaluh?* |
| What's the admission _____ price? | Giriş ücreti ne kadar? |
| | *giRish ewchReti neh kadaR?* |
| Is there a group _____ discount? | Gurup indirimi yapıyor musunuz? |
| | *gooRoop indiRimi yapuhyoR moosoonooz?* |
| Is there a child _____ discount? | Çocuklara indirim var mı? |
| | *chojooklaRa indiRim vaR muh?* |
| Is there a discount _____ for pensioners? | Emeklilere indiriminiz var mı? |
| | *emeklileReh indiRiminiz vaR muh?* |
| Can I take (flash) _____ photos/can I film here? | Burada (flaşla) fotoğraf/film çekebilir miyim? |
| | *booRada (flashla) foto:Raf/film chekebiliR miyim?* |
| Do you have any _____ postcards of...? | üzerinde...olan kartpostal satıyor musunuz? |
| | *ewzeRindeh...olan kaRtpostal satuhyoR moosoonooz?* |
| Do you have an _____ English...? | İngilizce bir...var mı? |
| | *ingilizjeh biR...vaR muh?* |
| – an English catalogue?_____ | İngilizce bir kataloğunuz var mı? |
| | *ingilizjeh biR katalo:oonooz vaR muh?* |
| – an English programme?_ | İngilizce bir programınız var mı? |
| | *ingilizjeh biR pRogRamuhnuhz vaR muh?* |
| – an English brochure? _____ | İngilizce bir broşürünüz var mı? |
| | *ingilizjeh biR bRoshewRewnewz vaR muh?* |

● **In Turkish theatres,** you will be shown to your seat by an attendant who will also (usually) give you a free leaflet about the play. You should offer a tip (maybe 5 or 10 percent of the ticket price)

Most films are dubbed into Turkish *(Türkçe seslendirilmiş)* but those which are subtitled will be advertised as *alt yazılı* or *orijinali.*

| | |
|---|---|
| Do you have this _____ week's/month's entertainment guide? | Sizde bu haftanın/ayın etkinlik dergisi var mı? *sizdeh boo haftanuhn/i-uhn etkinlik deRgisi vaR muh?* |
| What's on tonight? _____ | Bu akşam yapılacak ne var? *boo aksham yapuhlajak neh vaR?* |
| We want to go to... _____ | ...gitmek istiyoruz *...gitmek istiyoRooz* |
| Which films are _____ showing? | Hangi filmler gösteriliyor? *hangi filmleR gursteRiliyoR?* |
| What sort of film is that?___ | Nasıl bir film? *nasuhl biR film?* |
| Suitable for the whole _____ family | her yaş için *heR yash ichin* |
| not suitable for_____ children under 16 years | 16 yaşından küçükler giremez *16 yashuhndan kewchewkleR giRemez* |
| original version _____ | orijinali *orizhinali* |
| subtitled_____ | alt yazılı *alt yazuhluh* |
| dubbed_____ | Türkçe seslendirilmiş *tewRkcheh seslendiRilmish* |
| Is it a continuous_____ showing? | Gösteri aralıksız mı? *gursteRi aRaluhksuhz muh?* |
| What's on at...? _____ | ...ne var? *...neh vaR?* |
| – the theatre? _____ | Tiyatroda ne var? *tiyatRoda neh vaR?* |
| – the concert hall?_____ | Konser merkezinde ne var? *konseR meRkezindeh neh vaR?* |
| – the opera? _____ | Operada ne var? *opeRada neh vaR?* |
| Where can I find a good ___ disco around here? | Bu civarda nerede iyi bir diskotek var? *boo jivaRda neRedeh iyi biR diskotek vaR?* |
| Is it members only? _____ | Üye olmak şart mı? *ewyeh olmak shaRt muh?* |
| Where can I find a good ___ nightclub around here? | Bu civarda nerede iyi bir gece kulübü var? *boo jivaRda neRedeh iyi biR gejeh koolewbew vaR?* |
| Is it evening wear only? ___ | Gece kıyafeti şart mı? *gejeh kuhyafeti shaRt muh?* |
| Should I/we dress up? _____ | Gece kıyafeti isteniyor mu? *gejeh kuhyafeti isteniyoR moo?* |
| What time does the _____ show start? | Gösteri saat kaçta başlıyor? *gursteRi saht kachta bashluhyoR?* |
| When's the next soccer ___ match? | Bir sonraki futbol maçı ne zaman? *biR sonRaki footbol machuh neh zaman?* |
| Who's playing?_____ | Maç hangi takımlar arasında? *mach hangi takuhmlaR aRasuhnda?* |

| Turkish | | English |
|---|---|---|
| Hangi gösteri için yer ayırtmak istiyorsunuz? | _____ | Which performance do you want to book for? |
| Ne tarafta oturmak isterdiniz? | _____ | Where would you like to sit? |
| Bilet kalmadı | _____ | Everything's sold out |
| Sadece ayakta yer var | _____ | It's standing room only |
| Sadece balkonda yer var | _____ | We've only got balcony seats left |
| Sadece galeride yer var | _____ | We've only got seats left in the gallery |
| Sadece salonda yer var | _____ | We've only got stalls seats left |
| Sadece ön tarafta yer var | _____ | We've only got seats left at the front |
| Sadece arka tarafta yer var | _____ | We've only got seats left at the back |
| Kaç bilet istiyorsunuz? | _____ | How many seats would you like? |
| Biletleri saat...önce almanız gerekiyor | _____ | You'll have to pick up the tickets before...o'clock |
| Biletinizi görebilir miyim? | _____ | Tickets, please |
| Yeriniz burası | _____ | This is your seat |
| Yanlış yerde oturuyorsunuz | _____ | You're in the wrong seats |

## 11 .3 Booking tickets

| English | | Turkish |
|---|---|---|
| Could you book some tickets for us? | _____ | Bizim için yer ayırabilir misiniz? *bizim ichin yeR a-yuhRabiliR misiniz?* |
| We'd like to book... seats/a table... | _____ | ...yer/bir masa istiyoruz *...yeR/biR masa istiyoRooz* |
| – in the stalls | _____ | Salonda...yer/bir masa istiyoruz *salonda...yeR/biR masa istiyoRooz* |
| – on the balcony | _____ | Balkonda...yer/bir masa istiyoruz *balkonda...yeR/biR masa istiyoRooz* |
| – box seats | _____ | Locada...yer istiyoruz *lojada...yeR istiyoRooz* |
| – a table at the front | _____ | Ön tarafta...bir masa istiyoruz *urn taRafta...biR masa istiyoRooz* |
| – in the middle | _____ | Ortada...bir masa istiyoruz *oRtada...biR masa istiyoRooz* |
| – at the back | _____ | Arka tarafta...bir masa istiyoruz *aRka taRafta...biR masa istiyoRooz* |
| Could I book...seats for the...o'clock performance? | _____ | Saat...gösteri için...bilet ayırtabilir miyim? *saht...gursteRi ichin...bilet a-yuhRtabiliR miyim?* |
| Are there any seats left for tonight? | _____ | Bu akşamki gösteri için biletiniz var mı? *boo akshamki gursteRi ichin biletiniz vaR muh?* |
| How much is a ticket? | _____ | Bir biletin fiyatı ne kadar? *biR biletin fiyatuh neh kadaR?* |
| When can I pick the tickets up? | _____ | Biletleri saat kaçta gelip alabilirim? *biletleRi saht kachta gelip alabiliRim?* |
| I've got a reservation | _____ | Yer ayırtmıştım *yeR a-yuhRtmuhshtuhm* |
| My name's... | _____ | Adım... *aduhm...* |

# **S**ports

# 12 **S**ports

## 12 .1 **S**porting questions

| | |
|---|---|
| Where can we... _____ around here? | Burada nerede...? <br> *booRada neRedeh...?* |
| Is there a... _____ around here? | Bu civarda bir...var mı? <br> *boo jivaRda biR...vaR muh?* |
| Can I hire a...here? _____ | Burada bir...kiralayabilir miyim? <br> *booRada biR...kiRala-yabiliR miyim?* |
| Can I take...lessons? _____ | ...dersi alabilir miyim? <br> *...deRsi alabiliR miyim?* |
| How much is that per _____ hour/per day/a turn? | Saati/günlüğü/bir kereliği ne kadar? <br> *sahti/gewnlew:ew/biR keReli:i neh kadaR?* |
| Do I need a permit _____ for that? | Ruhsat gerekli mi? <br> *ruHsat geRekli mi?* |
| Where can I get _____ the permit? | Bu ruhsatı nereden alabilirim? <br> *boo ruHsat neReden alabiliRim?* |

## 12 .2 **B**y the waterfront

| | |
|---|---|
| Is it a long way to _____ the sea still? | Denize daha çok uzak mı? <br> *denizeh da-ha chok oozak muh?* |
| Is there a...around here? ___ | Bu civarda bir...var mı? <br> *boo jivaRda biR...vaR muh?* |
| – an outdoor/indoor/_____ public swimming pool | Bu civarda bir yüzme havuzu var mı? <br> *boo jivaRda biR yewzmeh havoozoo vaR muh?* |
| – a sandy beach _____ | Bu civarda bir kumsal var mı? <br> *boo jivaRda biR koomsal vaR muh?* |
| – a nudist beach _____ | Bu civarda bir çıplaklar plajı var mı? <br> *boo jivaRda biR chuhplaklaR plazhuh vaR muh?* |
| – mooring _____ | Bu civarda bir yat limanı var mı? <br> *boo jivaRda biR yat limanuh vaR muh?* |
| Are there any rocks _____ here? | Burası kayalık mı? <br> *booRasuh ka-yaluhk da vaR muh?* |
| When's high/low tide? _____ | Deniz ne zaman kabarıyor/alçalıyor? <br> *deniz neh zaman kabaRuhyoR/alchaluhyoR?* |
| What's the water _____ temperature? | Su kaç derece? <br> *soo kach deRejeh?* |
| Is it (very) deep here? _____ | Burası (çok) derin mi? <br> *booRasuh (chok) deRin mi?* |
| Can you stand here? _____ | Burada ayakta durulabilir mi? <br> *booRada a-yakta dooRoolabiliR mi?* |
| Is it safe to swim here? ____ | Burada yüzmek (çocuklar için) tehlikeli değil mi? <br> *booRada yewzmek (chojooklaR ichin) teHlikeli de:il mi?* |
| Are there any currents? ____ | Akıntı var mı? <br> *akuhntuh vaR muh?* |
| Are there any rapids/ _____ waterfalls in this river? | Bu nehrin hızlı akıntı yeri/şelalesi var mı? <br> *boo neHRin huhzluh akuhntuhluh yeRi/shelalesi vaR muh?* |
| What does that flag/ _____ buoy mean? | O bayrak/şamandıra ne anlamına geliyor? <br> *o bírak/shamanduhRa neh anlamuhna geliyoR?* |
| Is there a life guard _____ on duty here? | Burada bir cankurtaran var mı? <br> *booRada biR jankooRtaRan vaR muh?* |

| | |
|---|---|
| Are dogs allowed here?\_\_\_\_ | Köpeklerin girmesi yasak mı? |
| | *kurpekleRin giRmesi yasak muh?* |
| Is camping on the _____ beach allowed? | Plajda kamp kurmak yasak mı? |
| | *plazhda kamp kooRmak yasak muh?* |
| Are we allowed to_____ build a fire here? | Burada ateş yakmak yasak mı? |
| | *booRada atesh yakmak yasak muh?* |

| | | |
|---|---|---|
| Balık tutmak yasaktır | Sadece ruhsat ile | Tehlike |
| No fishing | Only with a permit | Danger |
| Balık tutulur | Sörf yapmak yasaktır | Yüzmek yasaktır |
| Fishing water | No surfing | No swimming |

### 🄓2 .3 In the snow

| | |
|---|---|
| Can I take ski lessons _____ here? | Burada kayak dersi alabilir miyim? |
| | *booRada ka-yak deRsi alabiliR miyim?* |
| for beginners/advanced\_\_\_\_ | Yeni başlayanlar/(biraz) ilerlemiş olanlar |
| | *yeni bashla-yanlaR/(biRaz) ileRlemish olanlaR* |
| How large are the _____ groups? | Guruplar kaç kişilik? |
| | *gooRooplaR kach kishilik?* |
| What language are _____ the classes in? | Dersler hangi dilde veriliyor? |
| | *deRsleR hangi dildeh veRiliyoR?* |
| I'd like a lift pass,_____ please | Bir kayak (telesiyej/teleferik) pasosu istiyorum |
| | *biR ka-yak (telesiyezh/telefeRik) pasosoo istiyoRoom* |
| Must I give you a_____ passport photo? | Vesikalık fotoğraf gerekir. |
| | *vesikaluhk foto:Raf geRekiR* |
| Where can I have a _____ passport photo taken? | Nerede vesikalık fotoğraf çektirebilirim? |
| | *neRedeh vesikaluhk foto:raf chektiRebiliRim?* |
| Where are the_____ beginners' slopes? | Yeni başlayanlar için kayak pisti nerede? |
| | *yeni bashla-yanlaR ichin ka-yak pisti neRedeh?* |
| Are the...in operation? \_\_\_\_ | ...açık mı? |
| | *...achuhk muh?* |
| – the ski lifts _____ | Teleferik açık mı? |
| | *telefeRik achuhk muh?* |
| – the chair lifts _____ | Telesiyej açık mı? |
| | *telesiyezh achuhk muh?* |

Sports

96

# Sickness

## **13**.1 **C**all (fetch) the doctor

| | |
|---|---|
| Could you call/fetch a_____ doctor quickly, please? | Hemen bir doktor çağırır mısınız lütfen? *hemen biR dokoR cha:uhRuhR muhsuhnuhz lewtfen?* |
| When does the doctor _____ have surgery? | Doktorun görüşme saatleri ne zaman? *doktoRoon gurRewshmeh sahtleRi neh zaman?* |
| When can the doctor _____ come? | Doktor ne zaman gelebilir? *doktoR neh zaman geliR?* |
| I'd like to make an_____ appointment to see the doctor | Benim için doktordan bir randevu alabilir misiniz? *benim ichin doktoRdan biR randevoo alabiliR misiniz?* |
| I've got an appointment ___ to see the doctor at... | Saat...doktorla randevum var *saht...doktoRla randevoom vaR* |
| Which doctor/chemist _____ has night/weekend duty? | Hangi doktorun/eczanenin gece/hafta sonu nöbeti var? *hangi doktoRoon/ejzanenin gejeh/hafta sonoo nurbeti vaR?* |

## **13**.2 **P**atient's ailments

| | |
|---|---|
| I don't feel well _____ | Kendimi iyi hissetmiyorum *kendimi iyi his-setmiyoRoom* |
| I'm dizzy_____ | Başım dönüyor *bashuhm durnew-yoR* |
| – ill_____ | Hastayım *hasta-yuhm* |
| – sick _____ | Midem bulanıyor *midem boolanuhyoR* |
| I've got a cold_____ | Nezleyim *nezleyim* |
| It hurts here _____ | Buram ağrıyor *booRam a:RuhyoR* |
| I've been throwing up ____ | İstifrağ ettim *istifra: et-tim* |
| I've got... _____ | ...şikayetçiyim *...shika-yet-chiyim* |
| I'm running a _____ temperature of...degrees | Ateşim...derece *ateshim...deRejeh* |
| I've been stung by_____ a wasp | Beni eşek arısı soktu *beni eshek aRuhsuh soktoo* |
| I've been stung by an_____ insect | Beni böcek ısırdı *beni burjek uhsuhRduh* |
| I've been bitten by _____ a dog | Beni köpek ısırdı *beni kurpek uhsuhRduh* |
| I've been stung by_____ a jellyfish | Bana deniz anası değdi *bana deniz anasuh de:di* |
| I've been bitten by _____ a snake | Beni yılan ısırdı *beni yuhlan uhsuhRduh* |
| I've been bitten by _____ an animal | Beni bir hayvan ısırdı *beni biR hívan uhsuhRduh* |
| I've cut myself _____ | kendimi kestim *kendimi kestim* |

| | | |
|---|---|---|
| I've burned myself _____ | kendimi yaktım | |
| | *kendimi yaktuhm* | |
| I've grazed myself_____ | kendimi yüzdüm | |
| | *kendimi yewzdewm* | |
| I've had a fall _____ | Düştüm | |
| | *dewshtewm* | |
| I've sprained my ankle____ | Ayak bileğimi burktum | |
| | *a-yak bile:imi booRktoom* | |
| I've come for the pill | Doğum kontrol hapı istiyorum, lütfen | |
| | *do:oom kontRol hapuh istiyoRoom, lewtfen* | |

## 🕐 .3 The consultation

| | |
|---|---|
| Şikayetiniz nedir? _____ | What seems to be the problem? |
| Bu şikayetleriniz başlayalı ne kadar _____ oluyor? | How long have you had these symptoms? |
| Bu şikayetleriniz geçmişte de var mıydı?_____ | Have you had this trouble before? |
| Ateşiniz kaç derece? _____ | How high is your temperature? |
| Lütfen, soyununuz _____ | Get undressed, please |
| Belden yukarsını çıkarın _____ | Strip to the waist, please |
| Şurada soyunabilirsiniz _____ | You can undress there |
| Sağ/sol kolunuzu sıvar mısınız? _____ | Roll up your left/right sleeve, please |
| Buraya uzanın _____ | Lie down here, please |
| Acıyor mu? _____ | Does this hurt? |
| Derin nefes alıp verin_____ | Breathe deeply |
| Ağzınızı açın_____ | Open your mouth |

### Patient's medical history

| | | |
|---|---|---|
| I'm a diabetic _____ | Şeker hastasıyım | |
| | *shekeR hastasuhyuhm* | |
| I have a heart condition ___ | Kalp hastasıyım | |
| | *kalp hastasuhyuhm* | |
| I have asthma_____ | Astım hastasıyım | |
| | *astuhm hastasuhyuhm* | |
| I'm allergic to... _____ | ...karşı alerjim var | |
| | *...kaRshuh aleRzhim vaR* | |
| I'm...months pregnant _____ | ...aylık hamileyim | |
| | *...íluhk hahmileyim* | |
| I'm on a diet _____ | Perhizdeyim | |
| | *peRhizdeyim* | |
| I'm on medication/the pill__ | İlaç/doğum kontrol hapı kullanıyorum | |
| | *ilach/do:oom kontRol hapuh kul-lanuhyoRoom* | |
| I've had a heart attack _____ once before | Daha önce de kalp krizi geçirdim | |
| | *da-ha urnjeh deh kalp kRizi gechiRdim* | |
| I've had a(n)...operation ___ | ...ameliyat oldum | |
| | *...ameliyat oldoom* | |
| I've been ill recently _____ | Bir müddet önce hastaydım | |
| | *biR mewd-det urnjeh hastíduhm* | |

| Turkish | English |
|---|---|
| Herhangi bir şeye karşı alerjiniz var mı? _____ | Do you have any allergies? |
| İlaç kullanıyor musunuz? _____ | Are you on any medication? |
| Perhizde misiniz? _____ | Are you on a diet? |
| Hamile misiniz? _____ | Are you pregnant? |
| Tetanoz aşısı oldunuz mu? _____ | Have you had a tetanus injection? |

### The diagnosis

| | |
|---|---|
| Pek bir şeyiniz yok _____ | It's nothing serious |
| ...kırmışsınız _____ | Your...is broken |
| ...berelenmişsiniz _____ | You've got a/some bruised... |
| ...kopmuş _____ | You've got (a) torn... |
| İltihaplanma var _____ | You've got an inflammation |
| Apandisitiniz var _____ | You've got appendicitis |
| Bronşitiniz var _____ | You've got bronchitis |
| Cinsel bir hastalığa yakalanmışsınız _____ | You've got a venereal disease |
| Gripe yakalanmışsınız _____ | You've got the flu |
| Kalp krizi geçirmişsiniz _____ | You've had a heart attack |
| Mikrop kapmışsınız _____ | You've got an infection (viral, bacterial) |
| Zatürree olmuşsunuz _____ | You've got pneumonia |
| Ülseriniz var _____ | You've got an ulcer |
| Kasınızı zorlayıp incitmişsiniz _____ | You've pulled a muscle |
| Vajinal enfeksiyonunuz var _____ | You've got a vaginal infection |
| Yediğiniz gıdadan zehirlenmişsiniz _____ | You've got food poisoning |
| Sizi güneş çarpmış _____ | You've got sunstroke |
| ... karşı alerjiniz var _____ | You're allergic to... |
| Hamilesiniz _____ | You're pregnant |
| Kanınızı/idrarınızı/dışkınızı araştırtmak istiyorum _____ | I'd like to have your blood/urine/stools tested |
| Dikiş atılması gerek _____ | It needs stitching |
| Sizi bir uzman doktora/hastaneye gönderiyorum _____ | I'm referring you to a specialist/sending you to hospital |
| Röntgen fotoğraflarının çekilmesi gerek _____ | You'll need to have some x-rays taken |
| Bir süre daha bekleme odasında oturmanız gerek _____ | Could you wait in the waiting room, please? |
| Ameliyat olmanız gerek _____ | You'll need an operation |

**13 Sickness**

| I've got an ulcer _____ | Ülserim var |
| | *ewlseRim vaR* |
| I've got my period _____ | Adet kanamam başladı |
| | *adet kanamam bashladuh* |
| Is it contagious? _____ | Bulaşıcı mı? |
| | *boolashuhjuh muh* |
| How long do I have to ____ stay...? | ... ne kadar kalmam gerek? |
| | *... neh kadaR kalmam geRek?* |
| – in bed _____ | Yatakta ne kadar kalmam gerek? |
| | *yatakta neh kadaR kalmam geRek?* |
| – in hospital _____ | Hastanede ne kadar kalmam gerek? |
| | *hastanedeh neh kadaR kalmam geRek?* |
| Do I have to go on a special diet? | Perhiz yapmak zorunda mıyım? |
| | *peRhiz yapmak zoRoonda muhyuhm?* |
| Am I allowed to travel? ____ | Seyahat edebilir miyim? |
| | *seyahat edebiliR miyim?* |
| Can I make a new appointment? | Yeni bir randevu alabilir miyim? |
| | *yeni biR randevoo alabiliR miyim?* |
| When do I have to _____ come back? | Tekrar ne zaman gelmem gerek? |
| | *tekRaR neh zaman gelmem geRek?* |
| I'll come back tomorrow | Yarın tekrar gelirim |
| | *yaRuhn tekRaR geliRim* |

---

| Yarın/...gün sonra yeniden gelmelisiniz | Come back tomorrow/in...days' time. |

## 🔟 .4 Medication and prescriptions

| How do I take this medicine? | Bu ilaçları nasıl almam gerekiyor? |
| | *boo ilachlaR nasuhl almam geRekiyoR?* |
| How many capsules/ drops/injections/spoonfuls/ tablets each time? | Her seferinde kaç kapsül/damla/iğne/kaşık/tablet? |
| | *heR sefeRindeh kach kapsewl/damla/i:neh/kashuhk/tablet?* |
| How many times a day? ___ | Günde kaç defa? |
| | *gewndeh kach defa?* |
| I've forgotten my medication. At home I take... | İlaçlarımı unutmuşum. İngiltere'de...kullanıyorum |
| | *ilachlaRuhm oonootmooshoom. ingilteRedeh...kool-lanuhyoRoom* |
| Could you make out a ____ prescription for me? | Bana bir reçete verebilir misiniz? |
| | *bana biR recheteh veRebiliR misiniz?* |

---

| Size antibiyotik/şurup/sakinleştirici/ağrı kesici yazıyorum | I'm prescribing antibiotics/a mixture/a tranquillizer/pain killers |
| Dinlenmelisiniz | Have lots of rest |
| Dışarı çıkmamalısınız | Stay indoors |
| Yatakta kalmalısınız | Stay in bed |

Sickness

13

101

| | | |
|---|---|---|
| bu ilaçarı aldıktan sonra araba kullanmayınız | injections | tablets |
| | kapsül | tedaviyi tamamlayın |
| | capsules | finish the course |
| do not drive after taking this medicine | merhem | tümünü yutun |
| | ointment | swallow whole |
| | ...saatte bir | yemeklerden önce |
| damla | every...hours | before meals |
| drops | sadece dıştan kullanılır | (yemek/çay) kaşığı |
| ...gün boyunca | not for internal use | spoonfuls (tablespoons/teaspoons) |
| throughout the day | sürün | |
| | rub on | yutun |
| günde...kere | suyla karıştırın | swallow |
| ...times a day | dissolve in water | |
| iğne | tablet | |

## 🔞 .5 At the dentist's

Do you know a good _____ dentist?
: Bana iyi bir diş doktoru tavsiye edebilir misiniz?
*bana iyi biR dish doktoRoo tavsiyeh edebiliR misiniz?*

Could you make a _____ dentist's appointment for me? It's urgent
: Benim için diş doktorundan randevu alabilir misiniz? Acelem var
*benim ichin dish doktooRoondan randevoo alabiliR misiniz? ajelem vaR*

Can I come in today, _____ please?
: Bugün gelebilir miyim lütfen?
*boogewn gelebiliR miyim lewtfen?*

I have (terrible) _____ toothache
: Dişim (felaket) ağrıyor
*dishim (felahket) a:RiyoR*

Could you prescribe/ _____ give me a painkiller?
: Ağrı kesici yazabilir mısınız/verebilir misiniz?
*a:Ruh kesiji yazabiliR misiniz?/veRebiliR misiniz?*

A piece of my tooth _____ has broken off
: Dişimin bir parçası kırıldı
*dishimin biR paRchasuh kuhRuhlduh*

My filling's come out _____
: Dolgum düştü
*dolgoom dewshtew*

I've got a broken crown _____
: Dişimin köprüsü kırıldı
*dishimin kurpRewsew kuhRuhlduh*

I'd like/I don't want a _____ local anaesthetic
: Lokal anestezi istiyorum/istemiyorum
*lokal anestezi istiyoRoom/istemiyoRoom*

Can you do a makeshift ___ repair job?
: Bana bir müddet idare edecek şekilde yardım edebilir misiniz?
*bana biR mewd-det idaRe edejek shekildeh yaRduhm edebiliR misiniz?*

I don't want this tooth _____ pulled
: Bu dişin çekilmesini istemiyorum
*boo dishin chekilmesini istemiyoRoom*

My dentures are broken. ___ Can you fix them?
: Takma dişim kırıldı. Tamir edebilir misiniz?
*takma dishim kuhRuhlduh. tahmir edebiliR misiniz?*

Sickness

13

| Turkish | English |
|---|---|
| Hangi dişiniz ağrüyor? _____ | Which tooth hurts? |
| Abseniz var _____ | You've got an abscess. |
| Kanal tedavisi yapmam gerekiyor _____ | I'll have to do a root canal |
| Lokal anestezi yapacağüm _____ | I'm giving you a local anaesthetic |
| Bu dişi doldurmam/çekmem/törplemem gerekiyor _____ | I'll have to fill/pull/file this tooth down |
| Dişinizi delmem gerekiyor _____ | I'll have to drill |
| Ağzünüzü açün _____ | Open wide, please |
| Ağzünüzü kapayün _____ | Close your mouth, please |
| Ağzünüzü çalkalayün _____ | Rinse, please |
| Hala ağrüyor mu? _____ | Does it hurt still? |

# 14

# In trouble

# 14 In trouble

## 14.1 Asking for help

| Help! | İmdat! |
| --- | --- |
| | *imdat!* |
| Fire! | Yangın! |
| | *yanguhn!* |
| Police! | Polis! |
| | *polis!* |
| Quick! | Çabuk! |
| | *chabook!* |
| Danger! | Tehlike! |
| | *teHlikeh!* |
| Watch out! | Dikkat! |
| | *dik-kat!* |
| Stop! | Dur! |
| | *dooR* |
| Be careful! | Dikkat et! |
| | *dik-kat et!* |
| Don't! | Yapma! |
| | *yapma!* |
| Let go! | Bırak! |
| | *buhRak!* |
| Stop that thief! | Hırsız var, yakalayın! |
| | *huhRsuhz vaR, yakala-yuhn!* |
| Could you help me, please? | Bana yardım eder misiniz? |
| | *bana yaRduhm edeR misiniz?* |
| Where's the police station/emergency exit/fire escape? | Karakol/acil çıkış/yangın merdiveni nerede? |
| | *kaRakol/**ah-jil** chuhkuhsh/yanguhn meRdiveni neredeh?* |
| Where's the nearest fire extinguisher? | Yangın söndürücüsü nerede? |
| | *yanguhn surndewRewjewsew neRedeh?* |
| Call the fire brigade! | İtfaiyeyi çağırın! |
| | ***itfah**-iyeyi cha:uhRuhn!* |
| Call the police! | Polisi arayın |
| | *polisi aRa-yuhn* |
| Call an ambulance! | Bir ambülans çağırın |
| | *biR ambewlans cha:uhRuhn* |
| Where's the nearest phone? | Telefon nerede? |
| | *telefon neRedeh?* |
| Could I use your phone? | Telefonunuzu kullanabilir miyim? |
| | *telefonoonoozoo kool-lanabiliR miyim?* |
| What's the emergency number? | Acil servis numarası ne? |
| | ***ah-jil** seRvis noomaRasuh neh?* |
| What's the number for the police? | Karakolun telefon numarası ne? |
| | *kaRakoloon telefon noomaRasuh neh?* |

| | |
|---|---|
| I've lost my purse/_____ wallet | Cüzdanımı/evrak çantamı kaybettim *jewzdanuhm/evRak chantamuh kíbet-tim* |
| I lost my...yesterday _____ | Dün...unuttum *dewn...oonoot-toom* |
| I left my...here _____ | ...buraya bırakmıştım *...booRa-ya buhRakmuhshtuhm* |
| Did you find my...? _____ | Benim...buldunuz mu? *benim...booldoonooz moo?* |
| It was right here_____ | Buradaydı *booRadíduh* |
| It's quite valuable _____ | Çok değerli *chok de:eRli* |
| Where's the lost_____ property office? | Kayıp eşya bürosu nerede? *kí-uhp eshya bewRosoo neRedeh?* |

| | |
|---|---|
| There's been an accident __ | Bir kaza oldu *biR kaza oldoo* |
| Someone's fallen into _____ the water | Biri suya düştü *biRi sooya dewshtew* |
| There's a fire_____ | Yangın var *yanguhn vaR* |
| Is anyone hurt? _____ | Yaralanan var mı? *yaRalanan vaR muh?* |
| Some people have _____ been/no one's been injured | Yaralı var (yok) *yaRaluh vaR (yok)* |
| There's someone in _____ the car/train still | Arabada/trende biri daha var *aRabada/trendeh biRi da-ha vaR* |
| It's not too bad. Don't_____ worry | Pek bir şey yok. Merak etmeyin *pek biR shey yok. meRak etmeyin* |
| Leave everything the _____ way it is, please | Hiç bir şeyin yerini değiştirmeyiniz *hich biR sheyin yeRini de:ishtiRmeyiniz* |
| I want to talk to the_____ police first | Önce polisle görüşmek istiyorum *urnjeh polisleh gurRewshmek istiyoRoom* |
| I want to take a _____ photo first | Önce bir fotoğraf çekmek istiyorum *urnjeh biR foto:Raf chekmek istiyoRoom* |
| Here's my name_____ and address | Buyurun, adım ve adresim *booy-ooRoon aduhm ve adResim* |
| Could I have your _____ name and address? | Adınızı ve adresinizi alabilir miyim? *aduhnuhzuh ve adResinizi alabiliR miyim?* |
| Could I see some_____ dentification/your insurance papers? | Nüfus cüzdanınızı/sigorta poliçenizi görebilir miyim? *newfoos cewzdanuhnuhz/sigoRta polichenizi gurRebiliR miyim?* |
| Will you act as a _____ witness? | Görgü tanıklığı eder misiniz? *gurRgew tanuhkluh:uh edeR misiniz?* |
| I need the details for _____ the insurance | Verileri sigorta için bilmem gerek *veRileRi sigoRta ichin bilmem geRek* |
| Are you insured?_____ | Sigortalı mısınız? *sigoRtaluh muhsuhnuhz?* |

| | |
|---|---|
| Third party or _____ comprehensive? | Tek taraflı mı yoksa çift taraflı mı? *tek taRafluh muh yoksa chift taRafluh muh?* |
| Could you sign here, _____ please? | Burayı imzalar mısınız? *booRaya imzalaR muhsuhnuhz?* |

## 14 .4 Theft

| | |
|---|---|
| I've been robbed _____ | Soyuldum *soyooldoom* |
| My...has been stolen _____ | ...çalındı *...chaluhnduh* |
| My car's been _____ broken into | Arabama zorla girildi *aRabama zoRla giRildi* |

## 14 .5 Missing person

| | |
|---|---|
| I've lost my child/ _____ grandmother | Çocuğumu/büyük annemi kaybettim *chojoo:uhmuh/bew-yewk an-nemi kíbet-tim* |
| Could you help me _____ find him/her? | Aramama yardım eder misiniz? *aRamama yaRduhm edebiliR misiniz?* |
| Have you seen a _____ small child? | Küçük bir çocuk gördünüz mü? *kewchewk biR chojook gurRdewnewz mew?* |
| He's/she's...years old _____ | ...yaşında *...yashuhnda* |
| He's/she's got _____ short/long/blond/red/ brown/black/grey/curly/ straight/frizzy hair | Kısa/uzun/sarı/kızıl/kahverengi/siyah/beyaz/dalgalı /düz/kıvırcık saçlı *kuhsa/oozoon/saruh/kuhzuhl/kaHveRengi/siyah/be yaz/dalgaluh/dewz/kuhvuhRjuhk sachluh* |
| with a ponytail _____ | saçı at kuyruklu *sachuh at kooyRookloo* |
| with plaits _____ | saçı örgülü *sachuh urRgewlew* |
| in a bun _____ | saçı topuz *sachuh topooz* |
| He's/she's got _____ blue/brown/green eyes | Gözleri mavi/kahverengi/yeşil *gurzleRi mavi/kaHveRengi/yeshil* |
| He's wearing swimming ___ trunks/mountaineering boots | Üzerinde mayosu/ayağında dağcılık ayakkabıları vardı *ewzeRindeh mayosoo/a-ya:uhnda da:juhluhk a-yak-kabuhlaRuh vaRduh* |
| with/without glasses/ _____ a bag | gözlüklü/gözlüksüz/çantalı/çantasız *gurzlewklew/gurzlewksewz/chantaluh/chantasuhz* |
| tall/short_____ | kısa/uzun boylu *kuhsa/oozoon boyloo* |
| This is a photo of _____ him/her | Bu onun resmi *boo onoon resmi* |
| He/she must be lost _____ | Eminim kayboldu *eminim kíboldoo* |

In trouble

107

*An arrest*

| | |
|---|---|
| I don't speak Turkish_____ | Türkçe konuşmasını bilmiyorum |
| | *tewRkcheh konooshmasuhnuh bilmiyoRoom* |
| I didn't see the sign _____ | Levhayı görmedim |
| | *levha-yuh gurRmedim* |
| I don't understand_____ | Ne demek istendiğini anlamıyorum |
| what it says | *neh demek istedi:ini anlamuhyoRoom* |
| I was only doing..._____ | Saatte...kilometre ile gidiyordum |
| kilometres an hour | *saht-teh...kilometReh ileh gidiyoRdoom* |
| I'll have my car checked ___ | Arabama baktıracağım |
| | *aRabama baktuhRaja:uhm* |
| I was blinded by _____ | Karşıdan gelen araç yüzünden bir şey göremez oldum |
| oncoming lights | *kaRshuhdan gelen aRach yewzewnden biR shey gurRemez oldoom* |

| | |
|---|---|
| Ruhsatınız lütfen _____ | Your registration papers, please |
| Arabanızı çok süratli kullanıyordunuz _____ | You were speeding |
| Yanlış park etmişsiniz _____ | You're not allowed to park here |
| Park ücretini ödememişsiniz _____ | You haven't put money in the meter |
| Işıklarınız yanmıyo _____ | Your lights aren't working |
| ...liralık bir ceza ödemek zorundasınız _____ | That's a...lira fine |
| Şimdi ödemek ister misiniz?_____ | Do you want to pay on the spot? |
| Şimdi ödemek zorundasınız _____ | You'll have to pay on the spot |

*At the police station*

| | |
|---|---|
| I want to report a_____ | Bir çarpışma/kayıp/tecavüz nedeniyle zabıt |
| collision/missing | tutturmak istiyorum |
| person/rape | *biR chaRpuhshma/kí-uhp/tejahvewz nedeniyleh zabuht toot-tooRmak istiyoRoom* |
| Could you make out _____ | Tutanağa geçirir misiniz? |
| a report, please? | *tootana:a gechiRiR misiniz?* |
| Could I have a copy _____ | Bir nüshasını sigorta için alabilir miyim? |
| for the insurance? | *biR news-hasuhnuh sigoRta ichin alabiliR miyim?* |
| I've lost everything _____ | Her şeyimi kaybettim |
| | *heR sheyimi kíbet-tim* |
| I've run out of money ____ | Param bitti, ne yapacağımı bilmiyorum |
| | *paRam bit-ti, neh yapaja:uhmuh bilmiyoRoom* |
| Can you lend me some ____ | Bir miktar borç para verebilir misiniz? |
| money | *biR miktaR boRch paRa veRebiliR misiniz?* |
| I'd like an interpreter _____ | Tercüman istiyorum |
| | *teRjewman istiyoRoom* |
| I'm innocent _____ | Ben suçsuzum |
| | *ben soochsoozoom* |

**In trouble**

**14**

| English | Turkish |
|---|---|
| I don't know anything ____ about it | Benim hiç bir şeyden haberim yok<br>*benim hich biR sheyden habeRim yok* |
| I want to speak to _____ someone from the British consulate | İngiltere konsolosluğundan biri ile görüşmek istiyorum<br>*ingiltere konsolosloo:oondan biRi ileh gurRewshmek istiyoRoom* |
| I need to see someone ____ from the British embassy | İngiltere büyük elçiliğinden biri ile görüşmek istiyorum<br>*ingiltere bew-yewk elchili:inden biRi ileh gurRewshmek istiyoRoom* |
| I want a lawyer who _____ speaks English | İngilizce konuşmasını bilen bir avukat istiyorum<br>*ingilizjeh konooshmasuhnuh bilen biR avookat istiyoRoom* |

---

| Turkish | English |
|---|---|
| Nerede oldu? _____ | Where did it happen? |
| Ne kaybettiniz? _____ | What's missing? |
| Ne çalındı?_____ | What's been taken? |
| Nüfus cüzdanınızı görebilir miyim? _____ | Could I see some identification? |
| Saat kaçta oldu? _____ | What time did it happen? |
| Başka kimlerin ilişkisi var? _____ | Who was involved? |
| Görgü tanıkları var mı?_____ | Are there any witnesses? |
| Bunu doldurur musunuz? _____ | Fill this out, please |
| Burayı imzalayın lütfen _____ | Sign here, please |
| Tercüman ister misiniz? _____ | Do you want an interpreter? |

In trouble

14

# 15

## Word list

# Word list English - Turkish

● **This word list** is meant to supplement the previous chapters.
In a number of cases, words not contained in this list can be found
elsewhere in this book, namely alongside the diagrams of the car, the
bicycle and the tent. Many food terms can be found in the Turkish-
English list in 4.7.

## A

| | | |
|---|---|---|
| about | yaklaşık olarak | yaklashuhk olaRak |
| above | ...üstünde | ...ewstewndeh |
| abroad | yurt dışı | yooRt duhshuh |
| accident | kaza | kaza |
| adder | engerek yılanı | engeRek yuhlanuh |
| addition | toplama | toplama |
| address | adres | adRes |
| admission | giriş | giRish |
| admission price | giriş fiyatı | giRish fiyatuh |
| advice | öneri, tavsiye | urneRi, tavsiyeh |
| after | sonra | sonRa |
| afternoon (in the) | öğleden sonra | ur:leden sonRa |
| aftershave | tıraş losyonu | tuhRash los-yonoo |
| again | yeniden | yeniden |
| against | karşı | kaRshuh |
| age | yaş | yash |
| Aids | Aids hastalığı | eehds hastaluh:uh |
| air conditioning | havalandırma | havalanduhRma |
| air mattress | şişirme yatak | shishiRmeh yatak |
| air sickness bag | istifrağ torbası | istifra: toRbasuh |
| aircraft | uçak | oochak |
| airmail, by | uçak ile | uchak ileh |
| airport | havaalanı | havaalanuh |
| alarm | alarm | alaRm |
| alarm clock | çalarsaat | chalaRsaht |
| alcohol | alkol | alkol |
| all the time | daima | díma |
| allergic | alerjik | aleRzhik |
| alone | yalnız | yalnuhz |
| always | her zaman | heR zaman |
| ambulance | ambülans | ambewlans |
| amount | miktar | miktaR |
| amusement park | lunapark | loona-paRk |
| anaesthetize | uyuşturmak | ooyooshtooRmak |
| anchovy | hamsi | hamsi |
| and | ve | veh |
| angry | kızgın | kuhzguhn |
| animal | hayvan | hívan |
| ankle | ayak bileği | a-yak bile:i |
| answer | cevap, yanıt | jevap, yanuht |
| ant | karınca | kaRuhnja |
| antibiotics | antibiyotik | antibiyotik |
| antifreeze | antifriz | antifRiz |
| antique | antika | antika |
| antiques | antika | antika |
| anus | anüs | anews |
| apartment | apartman dairesi | apaRtman díResi |
| aperitif | aperatif | apeRatif |

Word list 15

| | | |
|---|---|---|
| apologize | özür dilemek | urzewR dilemek |
| apple | elma | elma |
| apple juice | elma suyu | elma soo-yoo |
| apple pudding | elma tatlısı | elma tatluhsuh |
| apple sauce | elma sosu | elma sosoo |
| appointment | randevu | randevoo |
| apricot | kayısı | kí-uhsuh |
| April | nisan | nisan |
| architecture | mimarlık | mimaRluhk |
| area | civar | jivaR |
| area code | şehirlerarası | sheh-hiRleR-aRasuh |
| | kod numarası | kod noomaRasuh |
| arm | kol | kol |
| arrange | sözleşmek | surzleshmek |
| arrive | varmak | vaRmak |
| arrow | ok | ok |
| art | sanat | sanat |
| artery | atardamar | ataRdamaR |
| artichokes | enginar | enginaR |
| article | malzeme | malzemeh |
| artificial respiration | suni tenefüs | sooni tenefews |
| ashtray | kül tablası | kewl tablasuh |
| ask | sormak | soRmak |
| ask | rica etmek | rija etmek |
| asparagus | kuşkonmaz | kooshkonmaz |
| aspirin | aspirin | aspiRin |
| assault | sarkıntılık | saRkuhntuhluhk |
| at night | geceleyin | gejeleyin |
| at the back | arkada | aRkada |
| at the front | önde | urndeh |
| aubergine | patlıcan | patluhjan |
| August | ağustos | a:oostos |
| automatic | otomatik | otomatik |
| autumn | sonbahar | sonba-haR |
| avalanche | çığ | chuh |
| awake | uyanık | ooyanuhk |
| awning | güneşlik | gewneshlik |

## B

| | | |
|---|---|---|
| baby | bebek | bebek |
| baby food | bebek maması | bebek mamasuh |
| babysitter | çocuk bakıcısı | chojook bakuhjuhsuh |
| back | sırt | suhRt |
| backpack | sırt çantası | suhRt chantasuh |
| bad | kötü | kurtew |
| bag | çanta | chanta |
| baker | fırın | fuhRuhn |
| balcony (theatre) | loca | loja |
| balcony (to building) | balkon | balkon |
| ball | top | top |
| ballet | bale | baleh |
| ballpoint pen | tükenmez kalem | tewkenmez kalem |
| banana | muz | mooz |
| bandage | sargı | saRguh |
| bank (river) | sahil | sa-hil |
| bank | banka | banka |
| bank card | banka kartı | banka kaRtuh |

| | | |
|---|---|---|
| bar (café) | bar | baR |
| bar (drinks cabinet) | minibar | minibaR |
| barbecue | mangal | mangal |
| bath | banyo | banyo |
| bath attendant | cankurtaran | jankooRtaRan |
| bath foam | banyo köpüğü | banyo kurpew:ew |
| bath towel | banyo havlusu | banyo havloosoo |
| bathing cap | bone | boneh |
| bathing cubicle | banyo kabini | banyo kabini |
| bathing suit | mayo | ma-yo |
| bathroom | banyo | banyo |
| battery | pil | pil |
| battery (car) | akümülatör | akewmewlaturR |
| beach | plaj | plazh |
| beans | (kuru) fasulye | (kooRoo) fasoolyeh |
| beautiful | güzel | gewzel |
| beauty parlour | güzellik merkezi | gewzel-lik meRkezi |
| bed | yatak | yatak |
| bee | arı | aRuh |
| beef | sığır eti | suh:uhR eti |
| beer | bira | biRa |
| beetroot | pancar | panjaR |
| begin | başlamak | bashlamak |
| beginner | yeni başlayan | yeni bashla-yan |
| behind | ...arkasında | ...aRkasuhnda |
| belt | kemer | kemeR |
| berth | kuşet | kooshet |
| better | daha iyi | da-ha iyi |
| bicarbonate of soda | karbonat | kaRbonat |
| bicycle | bisiklet | bisiklet |
| bicycle pump | bisiklet pompası | bisiklet pompasuh |
| bicycle repairman | bisiklet tamircisi | bisiklet **tah**miRjisi |
| bikini | bikini | bikini |
| bill | hesap | hesap |
| billiards, to play | bilardo oynamak | bilaRdo oynamak |
| birthday | doğum günü | do:oom gewnew |
| biscuit | bisküvi | biskwi |
| bite | ısırmak | uhsuhRmak |
| bitter | acı | ajuh |
| black | siyah | si-yaH |
| bland | tatsız | tatsuhz |
| blanket | battaniye | bat-taniyeh |
| bleach | ağartmak | a:aRtmak |
| blister | su toplaması | soo toplamasuh |
| blond | sarışın | saRuhshuhn |
| blood | kan | kan |
| blood pressure | tansiyon | tansiyon |
| blouse | bluz | blooz |
| blow dry | saç kurutma | sach kooRootma |
| blue | mavi | mavi |
| blunt | kör | kurR |
| boat | gemi, vapur | gemi, vapooR |
| body | vücut | vewjoot |
| body milk | vücut losyonu | vewjoot losyonoo |
| boiled | haşlanmış | hashlanmuhsh |
| boiled ham | jambon | zhambon |
| bonbon | şekerleme | shekeRlemeh |

| bone | kemik | kemik |
|------|-------|-------|
| bonnet | motor kapağı | motoR kapa:uh |
| book (verb) | yer ayırtmak | yeR a-yuhRtmak |
| book | kitap | kitap |
| book | yer ayırtmak | yeR a-yuhRtmak |
| booked | rezervli | rezeRveli |
| booking office | bilet gişesi | bilet gishesi |
| bookshop | kitabevi | kitabevi |
| border | sınır | suhnuhR |
| bored, to be | sıkılmak | suhkuhlmak |
| boring | can sıkıcı | jan suhkuhjuh |
| born | doğumlu | do:oomloo |
| borrow | borç almak | boRch almak |
| botanical gardens | botanik bahçesi | botanik baHchesi |
| both | her ikisi | heR ikisi |
| bottlewarmer | biberon ısıtıcı | bibeRon uhsuhtuhjuh |
| bottle (baby's) | biberon | bibeRon |
| box | kutu | kootoo |
| box | loca | loja |
| boy | oğlan | o:lan |
| bra | sutyen | soot-yen |
| bracelet | bilezik | bilezik |
| brake | fren | fRen |
| brake fluid | fren sıvısı | fRen suhvuhsuh |
| brake oil | fren yağı | fRen ya:uh |
| brass | pirinç | piRinch |
| bread | ekmek | ekmek |
| break | kırmak | kuhRmak |
| breakfast | kahvaltı | kaHvaltuh |
| breast | göğüs | gur:ews |
| bridge | köprü | kurpRew |
| briefs | külot | kewlot |
| bring | getirmek | getiRmek |
| brochure | broşür | bRoshewR |
| broken | bozuk | bozook |
| brother | erkek kardeş | eRkek kaRdesh |
| brown | kahverengi | kaHveh-Rengi |
| bruise | berelemek | beRelemek |
| brush | fırça | fuhRcha |
| Brussels sprouts | Brüksel lahanası | bRewksel la-hanasuh |
| bucket | kova | kova |
| bug | mikrop | mikRop |
| bugs | böcek | burjek |
| building | bina | bina |
| buoy | şamandıra | shamanduhRa |
| burglary | hırsızlık | huhRsuhzluhk |
| burn | yanmak | yanmak |
| burnt | yanık | yanuhk |
| bus | otobüs | otobews |
| bus station | otogar | otogaR |
| bus stop | otobüs durağı | otobews dooRa:uh |
| business class | birinci sınıf | biRinji suhnuhf |
| business trip | iş seyahati | ish seya-hati |
| busy | kalabalık | kalabuhluk |
| butane camping gas | bütan kamp gazı | bewtan kamp gazuh |
| butcher | kasap | kasap |
| butter | tereyağı | teRe-ya:uh |

| | | |
|---|---|---|
| buttered roll | tereyağılı ufak ekmek | *teRe-ya:uhluh oofak ekmek* |
| button | düğme | *dew:meh* |
| buy | satın almak | *satuhn almak* |

## C

| | | |
|---|---|---|
| cabbage | lahana | *la-hana* |
| cabin | kamara | *kamaRa* |
| cake | pasta | *pasta* |
| cake shop | pastane | *pastaneh* |
| call | telefon etmek | *telefon etmek* |
| called, to be | adlı | *adluh* |
| camera | fotoğraf makinesi | *foto:Raf makinesi* |
| camp | kamp kurmak | *kamp kooRmak* |
| camp shop | kamp malzemeleri satan mağaza | *kamp malzemeleRi satan ma:aza* |
| camp site | kamping, kamp sahası | *kamping, kamp sa-hasuh* |
| camper | kamper | *kampeR* |
| campfire | kamp ateşi | *kamp ateshi* |
| camping guide | kamp kılavuzu | *kamp kuhla-oozoo* |
| camping permit | kamp kurma ruhsatı | *kamp kooRma rooHsatuh* |
| canal boat | gezi vapuru | *gezi vapooRoo* |
| cancel | iptal etmek | *iptahl etmek* |
| candle | mum | *moom* |
| canoe (verb) | kano yapmak | *kano yapmak* |
| canoe | kano | *kano* |
| car | araba, otomobil | *aRaba, otomobil* |
| carriage | vagon | *vagon* |
| car deck | otomobil guvertesi | *otomobil gewweRtesi* |
| car documents | araba ruhsat belgeleri | *aRaba rooHsat belgeleRi* |
| car seat | araba koltuğu | *aRaba koltoo:oo* |
| car trouble | motor arızası | *motoR aRuhzasuh* |
| carafe | sürahi | *sewRah-hi* |
| caravan | karavan | *kaRavan* |
| cardigan | hırka | *huhRka* |
| careful | dikkatli | *dik-katli* |
| carrot | havuç | *havooch* |
| carton | karton | *kaRton* |
| cascade | şelale | *shelaleh* |
| cash desk | kasa | *kasa* |
| casino | kumarhane | *koomaRhaneh* |
| cassette | kaset | *kaset* |
| castle | kale | *kaleh* |
| cat | kedi | *kedi* |
| catalogue | katalog | *katalog* |
| cauliflower | karnıbahar | *kaRnuhba-haR* |
| cave | mağara | *ma:aRa* |
| CD | kompakt disk | *kompakt disk* |
| celebrate | kutlamak | *kootlamak* |
| cellotape | selobant | *selobant* |
| cemetery | mezarlık | *mezahRluhk* |
| centimetre | santimetre | *santimetReh* |
| central heating | kalorifer | *kaloRifeR* |
| centre | orta | *oRta* |

Word list

15

| | | |
|---|---|---|
| centre | merkez | meRkez |
| chair | sandalye | sandal-yeh |
| chambermaid | oda hizmetçisi | oda hizmetchisi |
| champagne | şampanya | shampan-ya |
| change (coins) | bozuk para | bozook paRa |
| change (verb) | değiştirmek | de:ishtiRmek |
| change (trains, buses) | aktarmak | aktaRmak |
| change (money) | para bozdurmak | paRa bozdooRmak |
| change the baby's nappy | bebe:in altını değiştirmek | bebe:in altuhnuh de:ishtiRmek |
| change the oil | yağ değiştirmek | ya: de:ishtiRmek |
| charter flight | çarter uçuş | chaRteR oochoosh |
| chat up | flört etmek | flurRt etmek |
| check | kontrol etmek | kontRol etmek |
| check in | yolcu kabul | yoljoo kabool |
| cheers | şerefe | sheRefeh |
| cheese (tasty, mild) | peynir (lezzetli, hafif) | peyniR (lez-zetli, hafif) |
| chef | şef | shef |
| chemist | eczane | ejzaneh |
| cheque | çek | chek |
| cherries | kiraz | kiRaz |
| chess, to play | satranç oynamak | satRanch oynamak |
| chewing gum | sakız, çiklet | sakuhz, chiklet |
| chicken | tavuk | tavook |
| child | çocuk | chojook |
| child's seat | çocuk oturacağı | chojook otooRaja:uh |
| chilled | soğutulmuş | so:ootoolmoosh |
| chin | çene | cheneh |
| chips | patates kızartması | patates kuhzaRtmasuh |
| chocolate | çikolata | chikolata |
| choose | seçmek | sechmek |
| chop | pirzola | piRzola |
| cigar | puro | pooRo |
| cigar shop | tütüncü | tewtewnjew |
| cigarette | sigara | sigaRa |
| cigarette paper | sigara kağıdı | sigaRa ka:uhduh |
| cine camera | film makinesi | film makinesi |
| circle | daire, çember | diReh, chembeR |
| circus | sirk | siRk |
| city | şehir | she-hiR |
| city map | şehir haritası | she-hiR haRitasuh |
| classical concert | klasik konser | klasik konseR |
| clean (verb) | temizlemek | temizlemek |
| clean | temiz | temiz |
| clear | net | net |
| clearance | indirimli satışlar | indiRimli satuhshlaR |
| clock | duvar saati | doovaR sahti |
| closed | kapalı | kapaluh |
| closed off | kapalı (yol) | kapaluh (yol) |
| clothes | konfeksiyon | konfeksiyon |
| clothes hanger | askı | askuh |
| clothes peg | mandal | mandal |
| clothing | giyim | giyim |
| coat | palto | palto |
| cockroach | hamam böceği | hamam burje:i |
| cocoa | kakao | kaka-o |
| cod | morina balığı | moRina baluh:uh |

| coffee | kahve | kaHveh |
| coffee filter | kahve filtresi | kaHveh filtResi |
| cognac | konyak | kon-yak |
| cold | soğuk | so:ook |
| cold (medical) | soğuk algınlığı | so:ook alguhnluh:uh |
| cold cuts | salam çeşitleri | salam cheshitleRi |
| collarbone | köprücük kemiği | kurpRewjewk kemi:i |
| colleague | meslektaş | meslektash |
| collision | çarpışma | chaRpuhshma |
| cologne | kolonya | kolon-ya |
| colour | renk | renk |
| colour pencils | boya kalemi | boya kalemi |
| colour TV | renkli televizyon | renkli televizyon |
| colouring book | boyama kitabı | boyama kitabuh |
| comb | tarak | taRak |
| come | gelmek | gelmek |
| come back | geri gelmek | geRi gelmek |
| compartment | kompartman | kompaRtman |
| complain (verb) | şikayetçi olmak | shika-yet-chi olmak |
| complaint | şikayet | shika-yet |
| complaints book | şikayet defteri | shika-yet defteRi |
| completely | tamamen | tamahmen |
| compliment | iltifat | iltifat |
| compulsory | mecburi, zorunlu | mejbooRi, zoRoonloo |
| concert | konser | konseR |
| concert hall | konser salonu | konseR salonoo |
| concussion | beyin sarsıntısı | beyin saRsuhntuhsuh |
| condom | prezervatif | pReseRvatif |
| congratulate | tebrik etmek | tebRik etmek |
| connection | bağlantı | ba:lantuh |
| constipation | kabızlık | kabuhzluhk |
| consulate | konsolosluk | konsoloslook |
| consultation | konsültasyon | konsewltas-yon |
| contact lens | kontak lens | kontak lens |
| contact lens solution | lens bakım solüsyonu | lens bakuhm solews-yonoo |
| contagious | bulaşıcı | boolashuhjuh |
| contraceptive | doğum kontrol metodu | do:oom kontRol metodoo |
| contraceptive pill | doğum kontrol hapı | do:oom kontRol hapuh |
| cook (verb) | pişirmek | pishiRmek |
| cook | aşçı | ash-chuh |
| copper | bakır | bakuhR |
| copy | kopya nüsha | kop-ya news-ha |
| corkscrew | tirbuşon | tiRbooshon |
| corner | köşe | kursheh |
| cornflour | mısır unu | muhsuhR oonoo |
| correct | doğru | do:Roo |
| correspond | yazışmak | yazuhshmak |
| corridor | koridor | koRidoR |
| costume | kostüm | kostewm |
| cot | çocuk karyolası | chojook kaR-yolasuh |
| cotton | pamuklu | pamookloo |
| cotton wool | idrofil pamuk | idRofil pamook |
| cough | öksürük | urksewRewk |
| cough mixture | öksürük şurubu | urksewRewk shooRooboo |

| counter | tezgah | tezgahH |
| country | ülke | ewlkeh |
| country (countryside) | taşra | tashRa |
| country code | ülke telefon kodu | ewlkeh telefon kodoo |
| courgette | kabak | kabak |
| course | tedavi | tedavi |
| cousin | kuzen | koozen |
| crab | yengeç | yengech |
| cream | kaymak | kímak |
| credit card | kredi kartı | kRedi kaRtuh |
| crisps | patates çipsi | patates chipsi |
| croissant | kruason (Fransız kahvaltı böreği) | kRooason (fRansuhz kaHvaltuh burRe:i) |
| crosscountry run | kır koşusu | kuhR koshoosoo |
| cross the road | karşıya geçmek | kaRshuhya gechmek |
| crossing | yaya geçidi | yaya gechidi |
| crossing | geçiş | gechish |
| cry | ağlamak | a:lamak |
| cubic metre | metre küp | metReh kewp |
| cucumber | salatalık | salataluhk |
| cuddly toy | oyuncak hayvan | oyoonjak hayvan |
| cuff links | manşet düğmeleri | manshet dew:meleRi |
| culottes | pantalon etek | pantalon etek |
| cup | fincan | finjan |
| curly | kıvırcık | kuhvuhRjuhk |
| current | akıntı | akuhntuh |
| cushion | yastık | yastuhk |
| custard | krema | kRema |
| customary | normal | noRmal |
| customs | gümrük | gewmRewk |
| customs check | gümrük kontrolü | gewmRewk kontRolew |
| cut | kesmek | kesmek |
| cut | kesmek | kesmek |
| cutlery | çatal bıçak takımı | chatal buhchak takuhmuh |
| cycling | bisiklet sporu | bisiklet spoRoo |

## D

| dairy | süt mamülleri dükkanı | sewt mamewl-leRi dewk-kahnuh |
| damaged | hasara uğramış | hasaRa oo:Ramuhsh |
| dance | dans etmek | dans etmek |
| dandruff | kepek | kepek |
| danger | tehlike | teHlikeh |
| dangerous | tehlikeli | teHlikeli |
| dark | karanlık | kaRanluhk |
| date | randevu | randevoo |
| daughter | kız | kuhz |
| day | gün | gewn |
| day after tomorrow | yarın değil öbür gün | yaRuhn de:il urbewR gewn |
| day before yesterday | evvelki gün | ev-velki gewn |
| dead | ölü | urlew |
| decaffeinated | kafeinsiz | kafeynsiz |
| December | aralık | aRaluhk |
| deck chair | şezlong | shezlong |
| declare (customs) | beyan etmek | bey**ahn** etmek |

118

| deep | derin | deRin |
| deep sea diving | deniz dalgıçlığı | deniz dalguhchluh:uh |
| deepfreeze | dondurucu | dondooRoojoo |
| degrees | derece | deRejeh |
| delay | rötar | rurtaR |
| delicious | nefis | nefis |
| dentist | dişçi | dishchi |
| dentures | takma diş | takma dish |
| deodorant | deodorant | deodorant |
| department | reyon | reyon |
| department store | büyük mağaza | bewyewk ma:aza |
| departure | gidiş | gidish |
| departure time | gidiş saati | gidish sahti |
| depilatory cream | tüy dökücü krem | tewy durkewjew kRem |
| deposit (verb) | emanete vermek | **emahneteh** veRmek |
| deposit | kaparo | kapaRo |
| dervish dancers | semazenler | semazenleR |
| dessert | tatlı | tatluh |
| destination | gidilen yer | gidilen yeR |
| develop | banyo etmek | banyo etmek |
| diabetic | şeker hastası | shekeR hastasuh |
| dial | çevirmek | cheviRmek |
| diamond | elmas | elmas |
| diarrhoea | ishal | is-hal |
| dictionary | sözlük | surzlewk |
| diesel | dizel | dizel |
| diesel oil | mazot | mazot |
| diet | perhiz | peRhiz |
| difficulty | zorluk | zoRlook |
| dining room | yemek salonu | yemek salonoo |
| dining/buffet car | yemekli vagon | yemekli vagon |
| dinner | akşam yemeği | aksham yeme:i |
| dinner jacket | smokin | smokin |
| dinner, to have | akşam yemeği yemek | aksham yeme:i yemek |
| direction | yön | yurn |
| directly | dosdoğru | dosdo:Roo |
| dirty | kirli | kiRli |
| disabled | sakat | sakat |
| disco | diskotek | diskotek |
| discount | indirim | indiRim |
| dish | yemek | yemek |
| dish of the day | günün yemeği | gewnewn yeme:i |
| disinfectant | dezenfekte edici | dezenfekteh ediji |
| distance | mesafe | mesafeh |
| distilled water | arı su | aruh soo |
| disturb | rahatsız etmek | ra-hatsuhz etmek |
| disturbance | rahatsızlık | ra-hatsuhzluhk |
| dive | dalmak | dalmak |
| diving | dalgıçlık sporu | dalguhchluhk spoRoo |
| diving board | tramplen | tRamplen |
| diving gear | dalgıçlık takımı | dalguhchluhk takuhmuh |
| divorced | boşanmış | boshanmuhsh |
| dizziness | baş dönmesi | bash durnmesi |
| do | yapmak | yapmak |
| doctor | doktor | doktoR |
| dog | köpek | kurpek |
| doll | oyuncak bebek | oynoojak bebek |

| domestic | yurt içi | *yooRt ichi* |
| done (well cooked) | pişmiş | *pishmish* |
| door | kapı | *kapuh* |
| double | iki kişilik | *iki kishilik* |
| down | aşağı | *asha:uh* |
| draught | cereyan | *jeReyan* |
| draughts, to play | dama oynamak | *dama oynamak* |
| dream | rüya görmek | *rewya gurRmek* |
| dress | elbise | *elbiseh* |
| dressing gown | sabahlık | *sabaHluhk* |
| drink | içecek | *ichejek* |
| drinking chocolate | kakaolu süt | *kaka-oloo sewt* |
| drinking water | içme suyu | *ichmeh soo-yoo* |
| drive | araba kullanmak | *aRaba kool-lanmak* |
| driver | şoför | *shofurR* |
| driving licence | ehliyet | *eHliyet* |
| drought | kuraklık | *kooRakluhk* |
| dry (verb) | kurutmak | *kooRootmak* |
| dry | kuru | *kooRoo* |
| dry clean | kuru temizleme | *kooRoo temizlemeh* |
| dry cleaner's | kuru temizleyici | *kooRoo temizleyiji* |
| dry shampoo | kuru saçlar için | *kooRoo sachlaR ichin* |
| | şampuan | *shampoo-an* |
| dummy | yalancı meme | *yalanjuh memeh* |
| during | boyunca | *boyoonja* |
| during | esnasında | *esnasuhnda* |
| during the day | gündüz | *gewndewz* |

# E

| ear | kulak | *koolak* |
| ear, nose and throat | kulak burun boğaz | *koolak booRoon bo:az* |
| (ENT) specialist | (KBB) uzmanı | *oozmanuh* |
| earache | kulak ağrısı | *koolak a:Ruhsuh* |
| eardrops | kulak damlası | *koolak damlasuh* |
| early | erken | *eRken* |
| earrings | küpe | *kewpeh* |
| earth | toprak | *topRak* |
| earthenware | çömlek | *churmlek* |
| east | doğu | *do:oo* |
| easy | kolay | *kolí* |
| eat | yemek | *yemek* |
| eczema | egzama | *egzama* |
| eel | yılan balığı | *yuhlan baluh:uhn* |
| egg | yumurta | *yoomooRta* |
| elastic band | lastik bant | *lastik bant* |
| electric | elektrikli | *elektRikli* |
| electricity | elektrik | *elektRik* |
| embassy | büyük elçilik | *bewyewk elchilik* |
| emergency brake | acil fren | **ah-jil** *fRen* |
| emergency exit | acil çıkış | **ah-jil** *chuhkuhsh* |
| emergency number | acil servis numarası | **ah-jil** *seRvis* |
| | | *noomaRasuh* |
| emergency triangle | reflektör | *reflekturR* |
| emery board | tırnak törpüsü | *turRnak turRpewsew* |
| empty | boş | *bosh* |
| engaged | dolu | *doloo* |
| engaged | meşgul | *meshgool* |

| English language | İngilizce | ingilizjeh |
|---|---|---|
| enjoy | zevk almak | zevk almak |
| entertainment guide | etkinlik dergisi | etkinlik deRgisi |
| envelope | zarf | zaRf |
| evening | akşam | aksham |
| evening wear | gece kıyafeti | gejeh kuhyafeti |
| event | olay | olí |
| everything | her şey | her shey |
| everywhere | her yerde | heR yeRdeh |
| examine | muayene etmek | moo-a-yeneh etmek |
| excavation | arkeolojik kazı | aRkeolozhik kazuh |
| excellent | çok iyi | chok iyi |
| exchange | değiştirmek | de:ishtiRmek |
| exchange office | kambiyo bürosu | kambio bewRosoo |
| exchange rate | döviz kuru | durviz kooRoo |
| excursion | turistik gezi | tooRistik gezi |
| exhibition | sergi | seRgi |
| exit | çıkış | chuhkuhsh |
| expenses | masraf | masRaf |
| expensive | pahalı | pa-haluh |
| explain | açıklamak | achuhklamak |
| express train | mavi tren, ekspres | mavi tRen, ekspRes |
| external | dış | duhsh |
| eye | göz | gurz |
| eye drops | göz damlası | gurz damlasuh |
| eye shadow | göz boyası | gurz boyasuh |
| eye specialist | göz doktoru | gurz doktoRoo |
| eyeliner | göz kalemi | gurz kalemi |

**F**

| face | yüz | yewz |
|---|---|---|
| factory | fabrika | fabRika |
| fall | düşmek | dewshmek |
| family | aile | íleh |
| famous | ünlü, meşhur | ewnlew, mesh-hooR |
| far away | uzak | oozak |
| farewell | veda | veda |
| farm | çiftlik | chiftlik |
| farmer | çiftçi | chiftchi |
| farmer's wife | çiftçi kadın | chiftchi kaduhn |
| fashion | moda | moda |
| fast | çabuk | chabook |
| father | baba | baba |
| fault | hata | hata |
| fax, to send a | faks çekmek | faks chekmek |
| February | şubat | shoobat |
| feel | hissetmek | his-setmek |
| feel like | canı istemek | januh istemek |
| fence | çit | chit |
| ferry | vapur, feribot | vapuR, feRibot |
| fever | ateş | atesh |
| fill | dolgu yapmak | dolgoo yapmak |
| fill out | doldurmak | doldooRmak |
| filling (dental) | dolgu | dolgoo |
| film | film | film |
| filter | filtre | filtReh |
| find | bulmak | boolmak |

**Word list**

**15**

| fine | para cezası | paRa jezasuh |
| finger | parmak | paRmak |
| fire | ateş, yangın | atesh, yanguhn |
| fire brigade | itfaiye | it**fa**-iyeh |
| fire escape | yangın merdiveni | yanguhn meRdiveni |
| fire extinguisher | yangın söndürücüsü | yanguhn surndewRewjewsew |
| first | birinci | biRinji |
| first aid | ilk yardım | ilk yaRduhm |
| first class | birinci sınıf | biRinji suhnuhf |
| first name | ad | ad |
| fish (verb) | balık tutmak | baluhk tootmak |
| fish | balık | baluhk |
| fishing rod | olta | olta |
| fit | uymak | ooymak |
| fitness centre | spor merkezi | spoR meRkezi |
| fitness training | egzersiz | egzeRsiz |
| fitting room | kabin | kabin |
| fix | tamir etmek | tahmiR etmek |
| flag | bayrak | bíRak |
| flash bulb | flaş lambası | flash lambasuh |
| flash cube | flaş lambası | flash lambasuh |
| flash gun | flaş | flash |
| flat | apartman dairesi | apaRtman díResi |
| flea market | bit pazarı | bit pazaRuh |
| flight | uçuş | oochoosh |
| flight number | uçuş numarası | oochoosh noomaRasuh |
| flood | sel | sel |
| floor | kat | kat |
| flour | un | oon |
| flu | grip | gRip |
| flyover | bağlantı yolu | ba:lantuh yoloo |
| fly (insect) | sinek | sinek |
| fly (verb) | uçmak | oochmak |
| fog | sis | sis |
| foggy, to be | sis basmak | sis basmak |
| folkloristic | folklorik | folkloRik |
| follow | takip etmek | takip etmek |
| food | gıda | guhda |
| food poisoning | gıda zehirlenmesi | guhda zeh-hiRlenmesi |
| foot | ayak | a-yak |
| for | için | ichin |
| for hire | kiralık | kiRaluhk |
| forbidden | yasak | yasak |
| forehead | alın | aluhn |
| foreign | yabancı | yabanjuh |
| forget | unutmak | oonootmak |
| fork | çatal | chatal |
| form | form | foRm |
| fort | hisar | hisaR |
| forward | yollamak | yol-lamak |
| fountain | çeşme | cheshmeh |
| frame | çerçeve | cheRcheveh |
| free (seat) | boş | bosh |
| free | bedava, ücretsiz | bedahva, ewjRetsiz |
| free time | boş zaman | bosh zaman |
| freeze | donmak | donmak |

| French bread | francala | fRanjala |
| French language | Fransızca | fRansuhzja |
| fresh | taze | tazeh |
| Friday | cuma | jooma |
| fried | kızartılmış | kuhzaRtuhlmuhsh |
| fried egg | yağda yumurta | ya:da yoomooRta |
| friend | arkadaş | aRkadash |
| friendly | candan, cana yakın | jandan, jana yakuhn |
| frightened | korkmuş | koRkmoosh |
| fringe | kakül | kakewl |
| front (at the) | ön tarafta | urn taRafta |
| fruit | meyva | meyva |
| fruit juice | meyva suyu | meyva soo-yoo |
| frying pan | tava | tava |
| full | dolu | doloo |
| fun | eğlence | e:lenjeh |
| funfair | lunapark | loona-paRk |

## G

| gallery | galeri | galeRi |
| game | oyun | oyoon |
| garage | garaj | gaRazh |
| garbage bag | çöp torbası | churp toRbasuh |
| garden | bahçe | baHcheh |
| gastroenteritis | mide iltihabı | mideh iltihahbuh |
| gauze | gazlı bez | gazluh bez |
| gear | vites | vites |
| gel | jöle | zhurleh |
| German language | Almanca | almanja |
| get off | inmek | inmek |
| gift | hediye | hediyeh |
| gilt | yaldızlı | yalduhzluh |
| ginger | zencefil | zenjefil |
| girl | kız | kuhz |
| girlfriend | kız arkadaş | kuhz aRkadash |
| giro cheque | posta çeki | posta cheki |
| giro pass | posta çeki kartı | posta cheki kaRtuh |
| glacier | buzul | boozool |
| glass (tumbler) | bardak | baRdak |
| glasses (sun -) | gözlük | gurzlewk |
| | (güneş gözlüğü) | gewnesh gurzlew:ew) |
| glide | planörle uçmak | planurRleh oochmak |
| glove | eldiven | eldiven |
| glue | tutkal | tootkal |
| gnat | sivrisinek | sivRisinek |
| go | gitmek | gitmek |
| go back | geri dönmek | geRi durnmek |
| go out | çıkmak | chuhkmak |
| goat's cheese | keçi peyniri | kechi peyniRi |
| gold | altın | altuhn |
| golf course | golf sahası | golf sa-hasuh |
| gone | kayıp | ka-yuhp |
| good afternoon | iyi günler | iyi gewnleR |
| good evening | iyi akşamlar | yi akshamlaR |
| good morning | günaydın | gewníduhn |
| good night | iyi geceler | iyi gejeleR |
| goodbye | hoşça kal | hosh-cha kal |

| | | |
|---|---|---|
| gram | gram | gRam |
| grandchild | torun | toRoon |
| grandfather | dede | dedeh |
| grandmother | büyük anne | bewyewk an-neh |
| grape juice | üzüm suyu | ewzewm soo-yoo |
| grapefruit | greyfrut | gReyfRoot |
| grapes | üzüm | ewzewm |
| grave | mezar | mezaR |
| greasy | yağlı | ya:luh |
| green | yeşil | yeshil |
| green card | yeşil kart | yeshil kaRt |
| greet | selam vermek | selahm veRmek |
| grill | ızgara yapmak | uhzgaRa yapmak |
| grilled | kızartılmış | kuhzaRtuhlmuhsh |
| grocer | bakkal | bak-kal |
| ground | yer | yeR |
| group | gurup | gooRoop |
| guest house | pansiyon | pansiyon |
| guide (book) | kılavuz, rehber | kuhla-ooz, reHbeR |
| guide (person) | rehber | reHbeR |
| guided tour | rehberli tur | reHbeRli tooR |
| gynaecologist | kadın doktoru | kaduhn doktoRoo |

## H

| | | |
|---|---|---|
| hair | saç | sach |
| hairbrush | saç fırçası | sach fuhRchasuh |
| hairdresser | kuaför; berber | koo-afurR, beRbeR |
| hairpins | saç tokası | sach tokasuh |
| hairspray | saç spreyi | sach spReyi |
| half | yarım | yaRuhm |
| half | yarı | yaRuh |
| half full | yarı dolu | yaruh doloo |
| hammer | çekiç | chekich |
| hand | el | el |
| hand brake | el freni | el fReni |
| handbag | el çantası | el chantasuh |
| handkerchief | mendil | mendil |
| handmade | el işi | el ishi |
| happy | memnun | memnoon |
| harbour | liman | liman |
| hard | sert | seRt |
| hat | şapka | shapka |
| hay fever | saman nezlesi | saman nezlesi |
| hazelnut | fındık | fuhnduhk |
| head | baş | bash |
| headache | baş ağrısı | bash a:Ruhsuh |
| health | sağlık | sa:luhk |
| health food shop | doğal gıda satan dükkan | do:al guhda satan dewk-kahn |
| hear | duymak | dooymak |
| hearing aid | işitme cihazı | ishitmeh ji-hazuh |
| heart | kalp | kalp |
| heart patient | kalp hastası | kalp hastasuh |
| heat | sıcaklık | suhjakluhk |
| heater | kalorifer | kaloRifeR |
| heavy | ağır | a:uhR |
| heel | ayak topuğu | a-yak topoo:oo |

| | | |
|---|---|---|
| heel | topuk | topook |
| hello | merhaba | meRhaba |
| helmet | kask | kask |
| help (verb) | yardım etmek | yarduhm etmek |
| help | yardım | yaRduhm |
| helping | porsiyon | poRsiyon |
| herbal tea | baharlı çay | ba-haRluh chí |
| herbs | baharat | ba-haRat |
| here | burada | booRada |
| here you are | buyurun | booyooRoon |
| herring | ringa balığı | ringa baluh:uh |
| high | yüksek | yewksek |
| high tide | kabarma | kabaRma |
| highchair | çocuk sandalyesi | chojook sandaliyesi |
| hiking | hiking | híking |
| hiking trip | gezi | gezi |
| hip | kalça | kalcha |
| hire | kiralamak | kiRalamak |
| hitchhike | otostop yapmak | otostop yapmak |
| hobby | hobi | hobi |
| holdup | soyulma | soyoolma |
| holiday (national) | bayram tatili | bíRam tatili |
| holiday | tatil | tatil |
| holiday house | yazlık | yazluhk |
| holiday park | tatil köyü | tatil kuryew |
| home, at | evde | evdeh |
| homesickness | özlem | urzlem |
| honest | dürüst | dewRewst |
| honey | bal | bal |
| horizontal | yatay | yatí |
| horrible | iğrenç | i:Rench |
| horse | at | at |
| hospital | hastane | hastaneh |
| hospitality | misafirperverlik | misahfiR-peRveRlik |
| hot | sıcak | suhjak |
| hotwater bottle | sıcak su torbası | suhjak soo toRbasuh |
| hot | acı | ajuh |
| hotel | otel | otel |
| hour | saat | saht |
| house | ev | ev |
| household items | ev eşyaları | ev eshyalaRuh |
| houses of parliament | parlamento binası | paRlamento binahsuh |
| housewife | ev kadını | ev kaduhnuh |
| how far? | ne kadar? | neh kadaR? |
| how long? | ne kadar uzak? | neh kadaR oozak? |
| how much? | ne kadar? | neh kadaR? |
| how? | nasıl? | nasuhl? |
| hundred grams | yüz gram | yewz gRam |
| hungry, to be | acıkmak | ajuhkmak |
| hurricane | kasırga | kasuhRga |
| hurry | acele | ajeleh |
| husband | eş | esh |
| nut | kulübe | koolewbeh |
| hyperventilation | hiper ventilasyon | hipeR ventilas-yon |

Word list

15

# I

| English | Turkish | Pronunciation |
|---|---|---|
| ice cream | dondurma | *dondooRma* |
| ice cubes | buz parçası | *booz paRchasuh* |
| ice skate | buz pateni | *booz pateni* |
| idea | fikir | *fikiR* |
| identification | kimlik kartı, nüfus cüzdanı | *kimlik kaRtuh, newfoos cewzdanuh* |
| identify | kimliğini tespit etmek | *kimli:ini tespit etmek* |
| ignition key | kontak anahtarı | *kontak anaHtaRuh* |
| ill | hasta | *hasta* |
| illness | hastalık | *hastaluhk* |
| imagine | sanmak | *sanmak* |
| immediately | hemen | *hemen* |
| import duty | gümrük vergisi | *gewmRewk veRgisi* |
| impossible | imkansız | *imkahnsuhz* |
| in | ...içine; içinde | *...ichineh, ichindeh* |
| in the evening | akşamleyin | *akshamleyin* |
| included | dahil | **da**-*hil* |
| indicate | göstermek | *gursteRmek* |
| indicator | yön gösterici | *yurn gursteRiji* |
| inexpensive | ucuz | *oojooz* |
| infection (viral, bacterial) | enfeksiyon | *enfeksiyon* |
| inflammation | iltihap | *iltihap* |
| information | bilgi | *bilgi* |
| information office | danışma bürosu | *danuhshma bewRosoo* |
| injection | aşı, iğne | *ashuh, i:neh* |
| injured | yaralı | *yaRaluh* |
| inner ear | iç kulak | *ich koolak* |
| inner tube | iç lastik | *ich lastik* |
| innocent | suçsuz | *soochsooz* |
| insect | böcek | *burjek* |
| insect bite | böcek ısırması | *burjek uhsuhRmasuh* |
| insect repellant | sinek koruyucu krem | *sinek koRooyoojoo kRem* |
| inside | ...içinde | *...ichindeh* |
| insole | ayakkabının iç tabanı | *a-yak-kabuhnuhn ich tabanuh* |
| instructions | kullanılış şekli | *kool-lanuhluhsh shekli* |
| insurance | sigorta | *sigoRta* |
| intermission | ara | *aRa* |
| international | uluslararası | *oolooslaRaRasuh* |
| interpreter | tercüman | *teRjooman* |
| intersection | kavşak | *kavshak* |
| introduce oneself | kendini tanıtmak | *kendini tanuhtmak* |
| invite | davet etmek | *davet etmek* |
| iodine | tentürdiyot | *tentewRdiyot* |
| iron (metal) | demir | *demiR* |
| iron (verb) | ütülemek | *ewtewlemek* |
| iron | ütü | *ewtew* |
| ironing board | ütü masası | *ewtew masasuh* |
| island | ada | *ada* |
| Italian language | İtalyanca | *ital-yanja* |
| itch | kaşıntı | *kashuhntuh* |

## J

| jack | kriko | kRiko |
| jacket | ceket | jeket |
| jam | reçel | rechel |
| January | ocak | ojak |
| jaw | çene | cheneh |
| jellyfish | deniz anası | deniz anasuh |
| jeweller | kuyumcu | kooyoomjoo |
| jewellery | mücevherat | mewjev-heRat |
| jog | koşu yapmak | koshoo yapmak |
| joke | şaka | shaka |
| July | temmuz | tem-mooz |
| jump leads | marş kablosu | maRsh kablosoo |
| jumper | kazak | kazak |
| June | haziran | haziRan |

## K

| key | anahtar | anaHtaR |
| kilo | kilo | kilo |
| kilometre | kilometre | kilometReh |
| king | kral | kRal |
| kiss (verb) | öpmek | urpmek |
| kiss | öpücük | urpewjewk |
| kitchen | mutfak | mootfak |
| knee | diz | diz |
| knee socks | diz altı çorap | diz altuh choRap |
| knife | bıçak | buhchak |
| knit | örgü örmek | urRgew urRmek |
| know | bilmek | bilmek |

## L

| lace | dantel | dantel |
| lace | ayakkabı bağı | a-yak-kabuh ba:uh |
| ladies' | bayanlar tuvaleti | ba-yanlaR too-aleti |
| lake | göl | gurl |
| lamp | lamba | lamba |
| land | inmek | inmek |
| lane | şerit | sheRit |
| language | dil | dil |
| large | büyük | bewyewk |
| last | geçen | gechen |
| last | son | son |
| last night | dün gece | dewn gejeh |
| late | geç | gech |
| later | sonra | sonRa |
| latest, at the | en son | en son |
| laugh | gülmek | gewlmek |
| launderette | çamaşırhane | chamashuhR-haneh |
| law | hukuk | hookook |
| laxative | müshil ilacı | mews-hil ilajuh |
| leak | sızıntı | suhzuhntuh |
| leather | deri | deRi |
| leather goods | deri mamülleri | deRi mamewl-leRi |
| leave | yola çıkmak | yola chuhkmak |
| leek | pırasa | puhRasa |
| left | sol | sol |
| left luggage | emanet | ema**hn**et |

Word list

15

| English | Turkish | Pronunciation |
|---|---|---|
| left, to the | sola | sola |
| leg | bacak | bajak |
| lemon | limon | limon |
| lend | borç vermek | boRch veRmek |
| lens | mercek | meRjek |
| lentils | mercimek | meRjimek |
| less | daha az | da-ha az |
| lesson | ders | deRs |
| letter | mektup | mektoop |
| lettuce | marul | maRool |
| level crossing | hemzemin geçit | hemzemin gechit |
| library | kütüphane | kewtewp-haneh |
| lie | uzanmak | oozanmak |
| lies, to tell | yalan söylemek | yalan suhylemek |
| lift (hitchhike) | otostop | otostop |
| lift (in building) | asansör | asansurR |
| lift (ski) | telesiyej | telesiyezh |
| light (not dark) | aydınlık | iduhnluhk |
| light (not heavy) | hafif | hafif |
| light | lamba | lamba |
| lighter (cigarette) | çakmak | chakmak |
| lighthouse | fener | feneR |
| lightning | şimşek | shimshek |
| like (verb) | hoşlanmak, sevmek | hoshlanmak, sevmek |
| line | çizgi | chizgi |
| linen | keten | keten |
| lipstick | ruj | roozh |
| liqueur | likör | likuhR |
| liquid gas | likit gaz | likit gaz |
| listen | dinlemek | dinlemek |
| literature | edebiyat | edebiyat |
| litre | litre | litReh |
| little | az | az |
| little (a) | biraz | biRaz |
| live | oturmak | otooRmak |
| live together | beraber yaşamak | beRabeR yashamak |
| lobster | istakoz | istakoz |
| local | lokal | lokal |
| lock | kilit | kilit |
| long | uzun | oozoon |
| look | bakmak | bakmak |
| look for | aramak | aRamak |
| look up (in dictionary) | aramak | aRamak |
| lorry | kamyon | kam-yon |
| lose | kaybetmek | kíbetmek |
| loss | kayıp | kí-uhp |
| lost | kayıp | kí-uhp |
| lost item | kayıp eşya | kí-uhp eshya |
| lost property office | kayıp eşya bürosu | kí-uhp eshya bewRosoo |
| lost, to be | kaybolmak | kaybolmak |
| lotion | losyon | losyon |
| loud | gürültülü, yüksek sesli | gewRewltewlew, yewksek sesli |
| love (verb) | sevmek | sevmek |
| love | sevgi (aşk) | sevgi (ashk) |
| love, be in - with | -e aşık olmak | -eh ashuhk olmak |

Word list

15

| English | Turkish | Pronunciation |
|---|---|---|
| low | alçak | alchak |
| low tide | alçak gel-git | alchak gel-git |
| luck | şans | shans |
| luggage | bagaj | bagazh |
| luggage locker | bagaj dolabı | bagazh dolabuh |
| lunch | öğle yemeği | ur:leh yeme:i |
| lunchroom | yemek salonu | yemek salonoo |
| lungs | akciğer | akji:eR |

## M

| English | Turkish | Pronunciation |
|---|---|---|
| macaroni | makarna | makaRna |
| madam | bayan | ba-yan |
| magazine | dergi | deRgi |
| mail | posta | posta |
| main post office | merkez postane | meRkez postaneh |
| main road | ana yol | ana yol |
| make an appointment | randevu almak | randevoo almak |
| make love | sevişmek | sevishmek |
| makeshift | geçici | gechiji |
| man | erkek | eRkek |
| manager | müdür | mewdewR |
| mandarin | mandalina | mandalina |
| manicure | manikür | manikewR |
| map | harita | haRita |
| marble | mermer | meRmeR |
| March | mart | maRt |
| margarine | margarin | maRgaRin |
| marina | yat limanı | yat limanuh |
| market | pazar | pazaR |
| marriage | evlilik | evlilik |
| married | evli | evli |
| married, get | evlenmek | evlenmek |
| massage | masaj | masazh |
| mat | mat | mat |
| match | maç | mach |
| matches | kibrit | kibRit |
| May | mayıs | ma-yuhs |
| maybe | belki | belki |
| mayonnaise | mayonez | ma-yonez |
| mayor | belediye başkanı | belediyeh bashkanuh |
| meal | yemek | yemek |
| mean | ...anlamına gelmek | ...anlamuhna gelmek |
| meat | et | et |
| medication | ilaç | ilach |
| medicine | ilaç | ilach |
| meet | tanışmak | tanuhshmak |
| melon | karpuz; kavun | kaRpooz, kavoon |
| membership | üyelik | ew-yelik |
| menstruate | adet görmek | adet gurRmek |
| menstruation | adet kanaması | adet kanamasuh |
| menu | menü | menew |
| menu of the day | günün menüsü | gewnewn menewsew |
| message | mesaj, not | mesazh, not |
| metal | metal | metal |
| meter | taksimetre | taksimetReh |
| metre | metre | metReh |
| migraine | migren | migRen |

| mild (tobacco) | hafif | hafif |
| milk | süt | sewt |
| millimetre | milimetre | milimetReh |
| milometer | kilometre sayacı | kilometReh sa-yajuh |
| minaret | minare | minaReh |
| mince | kıyma | kuhyma |
| mineral water | maden suyu | maden soo-yoo |
| minute | dakika | dakika |
| mirror | ayna | ína |
| miss | özlemek | urzlemek |
| missing person | kayıp kişi | ka-yuhp kishi |
| missing, to be | kayıp olmak | ka-yuhp olmak |
| mistake | yanlışlık | yanluhshluhk |
| mistaken, to be | yanılmak | yanuhlmak |
| misunderstanding | yanlış anlama | yanluhsh anlama |
| mixture | şurup | shooRoop |
| mocha | yemen kahvesi | yemen kaHvesi |
| modern art | günümüz sanatı | gewnewmewz sanatuh |
| molar | azı (dişi) | azuh (dishi) |
| moment | saniye, an | **sah**niyeh, an |
| monastery | dergah | deRgah |
| Monday | pazartesi | pazaRtesi |
| money | para | paRa |
| month | ay | í |
| moped | mobilet | mobilet |
| morning, in the | sabahleyin | sabaHleyin |
| mosque | cami | jami |
| mosque prayers | namaz | namaz |
| motel | motel | motel |
| mother | anne | an-neh |
| motor cross | motokros | moto-kRos |
| motorbike | motosiklet | motosiklet |
| motorboat | deniz motoru | deniz motoRoo |
| motorway | otoyol | oto-yol |
| mountain | dağ | da: |
| mountain hut | dağ kulübesi | da: koolewbesi |
| mountaineering | dağcılık sporu | da:juhluhk spoRoo |
| mountaineering shoes | dağcılık ayakkabıları | da:juhluhk a-yak-kabuhlaRuh |
| mouse | fare | faReh |
| mouth | ağız | a:uhz |
| much/many | çok | chok |
| multistorey car park | çok katlı otopark | chok katluh otopaRk |
| muscle | kas | kas |
| muscle spasms | kas kasılması | kas kasuhlmasuh |
| museum | müze | mewzeh |
| mushrooms | mantar | mantaR |
| music | müzik | mewzik |
| musical | müzikal | mewzikal |
| mussels | midye | mid-yeh |
| mustard | hardal | haRdal |

## N

| nail (finger) | tırnak | turRnak |
| nail | çivi | chivi |
| nail polish | oje | ozheh |
| nail polish remover | aseton | aseton |

| | | |
|---|---|---|
| nail scissors | tırnak makası | *turRak makasuh* |
| naked | çıplak | *chuhplak* |
| nappy | çocuk bezi | *chojook bezi* |
| National Health | sosyal sigorta kurumu | *sosyal sigoRta kooRoomoo* |
| nationality | uyruk | *uyRook* |
| natural | doğal | *do:al* |
| nature | doğa | *do:a* |
| naturism | doğacılık | *do:ajuhluhk* |
| nausea | mide bulantısı | *mideh boolantuhsuh* |
| near | ...yakın | *...yakuhn* |
| nearby | yakın | *yakuhn* |
| necessary | gerekli | *geRekli* |
| neck | boyun | *boyoon* |
| necklace | kolye | *kol-yeh* |
| nectarine | tüysüz şeftali | *tewysewz sheftali* |
| needle | iğne | *i:neh* |
| negative | negatif | *negatif* |
| neighbours | komşular | *komshoolaR* |
| nephew | yeğen (erkek) | *ye:en (eRkek)* |
| never | asla | *asla* |
| new | yeni | *yeni* |
| news | haberler | *habeRleR* |
| news stand | gazete bayisi | *gazeteh bi-isi* |
| newspaper | gazete | *gazeteh* |
| next | gelecek | *gelejek* |
| next to | ...yanında | *...yanuhnda* |
| nice (friendly) | cana yakın | *jana yakuhn* |
| nice (to the eye) | hoş | *hosh* |
| nice (tasty) | lezzetli | *lez-zetli* |
| niece | yeğen (kız) | *ye:en (kuhz)* |
| night | gece | *gejeh* |
| night duty | gece nöbeti | *gejeh nurbeti* |
| nightclub | gece kulübü | *gejeh koolewbew* |
| nightlife | gece hayatı | *gejeh ha-yatuh* |
| no one | hiç kimse | *hich kimseh* |
| no | hayır | *ha-yuhR* |
| no overtaking | geçme yasağı | *gechmeh yasa:uh* |
| noise | gürültü | *gewRewltew* |
| nonstop | duraklamadan | *dooRaklamadan* |
| normal | normal | *noRmal* |
| north | kuzey | *koozey* |
| nose | burun | *booRoon* |
| nose drops | burun damlası | *booRoon damlasuh* |
| nosebleed | burun kanaması | *booRoon kanamasuh* |
| notepaper | dosya kağıdı | *dosya ka:uhduh* |
| nothing | hiç bir şey | *hich biR shey* |
| November | kasım | *kasuhm* |
| nowhere | hiç bir yerde | *hich biR yeRdeh* |
| nudist beach | çıplaklar plajı | *chuhplaklaR plazhuh* |
| number | numara | *noomaRa* |
| number plate | plaka | *plaka* |
| nurse | hemşire | *hemshiReh* |
| nutmeg | küçük hindistan cevizi | *kewchewk hindistan jevizi* |
| nuts | fındık fıstık | *fuhnduhk fuhstuhk* |

Word list

15

# O

| October | ekim | ekim |
|---|---|---|
| off licence | tekel | tekel |
| off | bozuk | bozook |
| offer | ikram etmek | ikRam etmek |
| office | büro | bewRo |
| oil | yağ | ya: |
| oil level | yağ seviyesi | ya: seviyesi |
| ointment | merhem | meRhem |
| ointment for burns | yanık merhemi | yanuhk meRhemi |
| okay | tamam | tamam |
| old | yaşlı | yashluh |
| olive oil | zeytin yağı | zeytin ya:uh |
| olives | zeytin | zeytin |
| omelette | omlet | omlet |
| on | ...üzerine; üzerinde | ...ewzeRindeh, ewzeRindeh |
| on board | gemide | gemideh |
| on the way | yolda | yolda |
| oncoming car | karşı yönden gelen araba | kaRshuh yurnden gelen aRaba |
| one-way traffic | tek yönlü yol | tek yurnlew yol |
| onion | soğan | so:an |
| open | açık | achuhk |
| open | açmak | achmak |
| opera | opera | opeRa |
| operate | ameliyat etmek | ameliyat etmek |
| operator (telephone) | operatör | opeRaturR |
| operetta | operet | opeRet |
| opposite | karşısında | kaRshuhsuhnda |
| optician | gözlükçü | gurzlewkchew |
| orange | portakal rengi | poRtakal rengi |
| orange | portakal | poRtakal |
| orange juice | portakal suyu | poRtakal soo-yoo |
| order (in -, tidy) | yolunda (derli toplu) | yoloonda (deRli toploo) |
| order | sipariş | sipaRish |
| order (verb) | ısmarlamak | uhsmaRlamak |
| other | başka | bashka |
| other side | karşı taraf | kaRshuh taRaf |
| outside | ...dışında | ...duhshuhnda |
| overtake | geçmek | gechmek |
| oysters | istiridye | istiRid-yeh |

# P

| packed lunch | hazır öğle yemeği paketi | hazuhR ur:leh yeme:i paketi |
|---|---|---|
| page | sayfa | sifa |
| pain | ağrı | a:Ruh |
| painkiller | ağrı kesici | a:Ruh kesiji |
| paint | boya | boya |
| painting (art) | ressamlık | res-samluhk |
| painting (object) | resim | resim |
| palace | saray | saRí |
| pan | tencere | tenjeReh |
| pancake | krep süzet | kRep sewzet |
| pane | cam | jam |
| pants | pantalon | pantalon |

| anty liner | ped | ped |
| aper | kağıt | ka:uht |
| aprika | kırmızı biber | kuhrRmuhzuh bibeR |
| araffin oil | gaz yağı | gaz ya:uh |
| arasol | güneşten koruyan | gewneshten koRooyan |
| | şemsiye | shemsiyeh |
| arcel | paket | paket |
| ardon | pardon | paRdon |
| arents | anne ve baba | an-neh veh baba |
| ark | park | paRk |
| ark | park etmek | paRk etmek |
| arking space | park yeri | paRk yeRi |
| arsley | maydanoz | mídanoz |
| art | yedek parça | yedek paRcha |
| artner | eş | esh |
| arty | parti | paRti |
| assable | geçilir | gechiliR |
| assenger | yolcu | yoljoo |
| assport | pasaport | pasapoRt |
| assport photo | vesikalık fotğraf | vesikaluhk foto:Raf |
| atient | hasta | hasta |
| avement | kaldırım | kalduhRuhm |
| ay | ödemek | urdemek |
| ay the bill | hesabı ödemek | hesabuh urdemek |
| each | şeftali | sheftali |
| eanuts | fıstık | fuhstuhk |
| ear | armut | aRmoot |
| eas | bezelye | bezel-yeh |
| edal | pedal | pedal |
| edestrian crossing | yaya geçidi | ya-ya gechidi |
| edicure | pedikür | pedikewR |
| en | kalem | kalem |
| encil | kurşun kalem | kooRshoon kalem |
| enis | penis | penis |
| epper | biber | bibeR |
| erformance | gösteri | gursteRi |
| erfume | parfüm | paRfewm |
| erm (verb) | perma yapmak | peRma yapmak |
| erm | perma | peRma |
| ermit | ruhsat | rooHsat |
| erson | kişi | kishi |
| ersonal | kişisel | kishisel |
| etrol | benzin | benzin |
| etrol station | benzin istasyonu | benzin istas-yonoo |
| ets | ev hayvanları | ev hívanlaRuh |
| harmacy | eczane | ejzaneh |
| hone (verb) | telefon etmek | elefon etmek |
| hone | telefon | telefon |
| hone box | telefon kulübesi | telefon koolewbesi |
| hone directory | telefon rehberi | telefon reHbeRi |
| hone number | telefon numaras | telefon noomaRasuh |
| hoto | fotoğraf, resim | foto:Raf, resim |
| hotocopier | fotokopi makinesi | fotokopi makinesi |
| hotocopy (verb) | fotokopi çekmek | fotokopi chekmek |
| hotocopy | fotokopi | fotokopi |
| ck up | almak | almak |
| cnic | piknik | piknik |

| piece of clothing | giyecek | *giyejek* |
|---|---|---|
| pier | iskele | *iskeleh* |
| pigeon | güvercin | *gewveRjin* |
| pill (contraceptive) | doğum kontrol hapı | *do:oom kontRol hapuh* |
| pillow | yastık | *yastuhk* |
| pillowcase | yastık yüzü | *yastuhk yewzew* |
| pin | iğne | *i:neh* |
| pineapple | ananas | *ananas* |
| pipe | pipo | *pipo* |
| pipe tobacco | pipo tütünü | *pipo tewtewnew* |
| pity | yazık | *yazuhk* |
| place of entertainment | eğlence yeri | *e:lenjeh yeRi* |
| place of interest | görülmeye değer | *gurRewlmeyeh de:eR* |
| plan | plan | *plan* |
| plant | bitki | *bitki* |
| plasters | yara bandı | *yaRa banduh* |
| plastic | plastik | *plastik* |
| plastic bag | naylon torba | *nílon toRba* |
| plate | tabela | *tabela* |
| platform | peron | *peRon* |
| play (theatre) | piyes | *pi-yes* |
| play | oynamak | *oynamak* |
| play basketball | basketbol oynamak | *basketbol oynamak* |
| play golf | golf oynamak | *golf oynamak* |
| play tennis | tenis oynamak | *tenis oynamak* |
| playground | çocuk bahçesi | *chojook baHchesi* |
| playing cards | iskambil kağıtları | *iskambil ka:uhtlaruh* |
| pleasant | hoş | *hosh* |
| please | lütfen | *lewtfen* |
| pleasure | zevk | *zevk* |
| plum | erik | *eRik* |
| pocket knife | çakı | *chakuh* |
| point | göstermek | *gursteRmek* |
| poison | zehir | *ze-hiR* |
| police | polis | *polis* |
| police station | karakol | *kaRakol* |
| policeman | polis memuru | *polis memooRoo* |
| pond | gölet | *gurlet* |
| pony | midilli | *midil-li* |
| pop concert | pop konseri | *pop konseRi* |
| population | nüçus | *newfoos* |
| port | porto şarabı | *poRto shaRabuh* |
| porter | hamal | *hamal* |
| porter | kapıcı | *kapuhjuh* |
| post code | posta kodu | *post kodoo* |
| post office | postane | *postaneh* |
| postage | posta ücreti | *posta ewjReti* |
| postbox | posta kutusu | *posta kootoosoo* |
| postcard | kartpostal | *kaRtpostal* |
| postman | postacı | *postajuh* |
| potato | patates | *patates* |
| poultry | kümes hayvanları | *kewmes hívanlaRuh* |
| powdered milk | süt tozu | *sewt tozoo* |
| power point | priz | *pRiz* |
| pram | çocuk arabası | *chojook aRabasuh* |
| prawns | karides | *kaRides* |
| precious | değerli | *de:eRli* |

| prefer | tercih etmek | teRji-h-etmek |
| preference | tercih | teRjih |
| pregnant | hamile | hahmileh |
| present (available) | mevcut | mevjoot |
| present | hediye | hediyeh |
| press | basmak | basmak |
| pressure | basınç | basuhnch |
| price | fiyat | fiyat |
| price list | fiyat listesi | fiyat listesi |
| print (verb) | basmak | basmak |
| probably | büyük bir olasılıkla | bewyewk biR olasuhluhkla |
| problem | sorun | soRoon |
| profession | meslek | meslek |
| programme | program | pRogRam |
| pronounce | telaffuz etmek | telaf-fooz etmek |
| propane camping gas | propan kamp gazı | pRopan kamp gazuh |
| prune | kuru erik | kooRoo eRik |
| pudding | tatlı | tatluh |
| pull | çekmek | chekmek |
| pulled muscle | kas kopması | kas kopmasuh |
| pure | saf | saf |
| purple | mor | moR |
| purse | para cüzdanı | paRa jewzdanuh |
| push | itmek | itmek |
| puzzle | bulmaca | boolmaja |
| pyjamas | pijama | pizhama |

## Q

| quarter | dörtte biri | durRt-teh biRi |
| quarter of an hour | on beş dakika | on besh dakika |
| queen | kraliçe | kRaliceh |
| question | soru | soRoo |
| quick | çabuk | chabook |
| quiet | sakin | **sa**kin |

## R

| radio | radyo | radyo |
| railways | demiryolu işletmesi | demiR-yoloo ishletmesi |
| rain (verb) | yağmur yağmak | ya:mooR ya:mak |
| rain | yağmur | ya:mooR |
| raincoat | yağmurluk | ya:mooRlook |
| raisins | kuru üzüm | kooRoo ewzewm |
| rape | tecavüz | tejavewz |
| rapids | hızlı akıntı yeri | huhzluh akuhntuh yeRi |
| raspberries | ahududu | ahoodoodoo |
| raw | çiğ | chi: |
| raw vegetables | çiğ sebze | chi: sebzeh |
| razor blades | jilet | zhilet |
| read | kitap okumak | kitap okoomak |
| ready | hazır | hazuhR |
| really | aslında | asluhnda |
| receipt | makbuz | makbooz |
| recipe | yemek tarifi | yemek taRifi |
| reclining chair | şezlong | shezlong |
| recommend | tavsiye etmek | tavsiyeh etmek |
| recovery service | TTOK | teh teh o keh |

| rectangle | dikdörtgen | dikdurRtgen |
| red | kırmızı | kuhRmuhzuh |
| red wine | kırmızı şarap | kuhRmuhzuh shaRap |
| reduction | indirim | indiRim |
| refrigerator | buzdolabı | boozdolabuh |
| regards | selamlar | selamlaR |
| region | bölge | burlgeh |
| registered (letter) | iadeli taahhütlü | iahdeli tah-hewtlew |
| registration | kayıt | ka-yuht |
| relatives | aile, akraba | ileh, akRaba |
| reliable | güvenilir | gewwveniliR |
| religion | din | din |
| rent out | kiraya vermek | kiRa-ya veRmek |
| repair (verb) | tamir etmek | **tah**miR etmek |
| repairs | tamir | **tah**miR |
| repeat | tekrar etmek | tekRaR etmek |
| report | rapor | rapoR |
| resent | içerlemek | icheRlemek |
| responsible | sorumlu | soRoomloo |
| rest | dinlenmek | dinlenmek |
| restaurant | restoran | restoRan |
| result | sonuç | sonooch |
| retired | emekli | emekli |
| return (ticket) | gidiş dönüş | gidish durnewsh |
| reverse (vehicle) | geri yürütmek | geRi yewRewtmek |
| rheumatism | romatizma | romatizma |
| rice | pilav | puhlow |
| ridiculous | gülünç | gewlewnch |
| riding (horseback) | ata binmek | ata binmek |
| riding school | binicilik okulu | binijilik okooloo |
| right | sağ | sa: |
| right of way | öncelik | urnjelik |
| right, on the | sağa | sa:a |
| ripe | olgun | olgoon |
| risk | risk | risk |
| river | nehir, ırmak | ne-hiR, uhRmak |
| road | yol | yol |
| roadway | şose | shoseh |
| roasted | kavrulmuş | kavRoolmoosh |
| rock | kaya | ka-ya |
| roll | ufak ekmek | oofak ekmek |
| rolling tobacco | tütün (sarma sigara için) | tewtewn (saRma sigaRa ichin) |
| roof rack | araba üst bagajı | aRaba ewst bagazhuh |
| room | oda | oda |
| room number | oda numarası | oda noomaRasuh |
| room service | oda servisi | oda seRvisi |
| rope | halat | halat |
| rosé | pembe şarap | pembeh shaRap |
| roundabout | dönel kavşak | durnel kavshak |
| route | yol | yol |
| rowing boat | sandal | sandal |
| rubber | lastik | lastik |
| rubbish | saçmalık | sachmaluhk |
| rucksack | küçük sırt çantası | kewchewk suhRt chantasuh |
| rude | kaba | kaba |

| | | |
|---|---|---|
| ruins | harabe | *haRabeh* |
| run into | karşılaşmak | *kaRshuhlashmak* |

## S

| | | |
|---|---|---|
| sad | üzgün | *ewzgewn* |
| safari | safari | *safaRi* |
| safe | emin | *emin* |
| safe | kasa | *kasa* |
| safety pin | çengelli iğne | *chengel-li i:neh* |
| sail | yelken açmak | *yelken achmak* |
| sailing boat | yelkenli | *yelkenli* |
| salad | salata | *salata* |
| salad oil | zeytinyağı | *zeytin-ya:uh* |
| salami | salam | *salam* |
| sale | indirimli satışlar | *indiRimli satuhshlaR* |
| salt | tuz | *tooz* |
| same | aynısı | *inuhsuh* |
| sandy beach | kumsal | *koomsal* |
| sanitary pad | ped | *ped* |
| sardines | sardalya | *saRdalya* |
| satisfied | memnun | *memnoon* |
| Saturday | cumartesi | *joomaRtesi* |
| sauce | sos | *sos* |
| sauna | sauna | *saoona* |
| sausage | sosis | *sosis* |
| savoury | tatlı olmayan | *tatluh olma-yan* |
| say | söylemek | *suhylemek* |
| say one's farewells | vedalaşmak | *vedalashmak* |
| scarf | eşarp, fular | *eshaRp, foolaR* |
| scenic walk | manzaralı gezinti | *manzaRuhluh gezinti* |
| school | okul | *okool* |
| scissors | makas | *makas* |
| scooter | skuter | *skooteR* |
| scorpion | akrep | *akRep* |
| screw | vida | *vida* |
| screwdriver | tornavida | *toRnavida* |
| sculpture | heykeltıraşlık | *heykeltuhRashluhk* |
| sea | deniz | *deniz* |
| seasick (to be) | deniz tutmak | *deniz tootmak* |
| seat | yer | *yeR* |
| secondhand | elden düşme | *elden dewshmeh* |
| second | saniye | *sahniyeh* |
| second | ikinci | *ikinji* |
| sedative | sakinleştirici hap | *sakinleshtiRiji hap* |
| see | görmek | *gurRmek* |
| self timer | otomatik deklanşör | *otomatik deklanchurR* |
| send | yollamak | *yol-lamak* |
| sentence | cümle | *jewmleh* |
| September | eylül | *eylewl* |
| serious | ciddi | *jid-di* |
| service | servis | *seRvis* |
| serviette | peçete | *pecheteh* |
| set (ladies' hair) | öndüle yapmak | *urndewleh yapmak* |
| sewing thread | iplik | *iplik* |
| shade | gölge | *gurlgeh* |
| shallow | sığ | *suh:* |
| shammy | güderi | *gewdeRi* |

| | | |
|---|---|---|
| shampoo | şampuan | shampooan |
| shark | köpek balığı | kurpek baluh:uh |
| shave (verb) | tıraş olmak | tuhRash olmak |
| shaver | tıraş makinesi | tuhRash makinesi |
| shaving brush | tıraş fırçası | tuhRash fuhRchasuh |
| shaving cream | tıraş kremi | tuhRas kRemi |
| shaving soap | tıraş sabunu | tuhRash saboonoo |
| sheet | çarşaf | chaRshaf |
| sherry | şeri | sheRi |
| shirt | gömlek | gurmlek |
| shoe | ayakkabı | a-yak-kabuh |
| shoe polish | ayakkabı boyası | a-yak-kabuh boyasuh |
| shoe shop | ayakkabı mağazası | a-yak-kabuh ma:azasuh |
| shoemaker | kunduracı | koondooRajuh |
| shop | dükkan | dewk-kahn |
| shop (verb) | alış veriş yapmak | aluhsh veRish yapmak |
| shop assistant | tezgahtar | tezgahHtaR |
| shop window | vitrin | vitRin |
| shopping centre | alış veriş merkezi | aluhsh veRish meRkezi |
| short | kısa | kuhsa |
| short circuit | kısa devre | kuhsa devReh |
| shorts | şort | shoRt |
| shoulder | omuz | omooz |
| show | gösteri | gursteRi |
| shower | duş | doosh |
| shutter | obtüratör | obtewRaturR |
| sieve | süzgeç | sewzgech |
| sign | imzalamak | imzalamak |
| signature | imza | imza |
| silence | sessizlik | ses-sizlik |
| silver | gümüş | gewmews |
| silverplated | gümüş kaplama | gewmewsh kaplama |
| simple | basit | basit |
| single (unmarried) | bekar | bekahR |
| single (one way) | tek gidiş | tek gidish |
| single (one person) | tek kişilik | tek kishilik |
| sir | bey | bey |
| sister | kızkardeş | kuhzkaRdesh |
| sit | oturmak | otooRmak |
| size | numara | noomaRa |
| ski | kayak yapmak | kíyak mak |
| ski boots | kayak ayakkabıları | kíyak ayak-kabuhlRuh |
| ski goggles | kayak gözlüğü | kíyak gurzlew:ew |
| ski instructor | kayak hocası | kíyak hojasuh |
| ski lessons/class | kayak dersi | kíyak deRsi |
| ski lift | telesiyej, teleferik | telesiyezh, telefeRik |
| ski pants | kayak pantalonu | kíyak pantalonoo |
| ski pass | kayak pasosu | kíyak pasosoo |
| ski slope | kayak pisti | kíyak pisti |
| ski stick | kayak değneği | kíyak de:ne:i |
| ski suit | kayak kıyafeti | kíyak kuhyafeti |
| ski wax | kayak çilası | kíyak chilasuh |
| skimmed milk | yağı alınmış süt | ya:uh aluhnmuhsh sewt |
| skin | cilt | jilt |
| skirt | etek | etek |
| skis | kayak | kíak |

Word list

15

| sleep | uyumak | ooyoomak |
|---|---|---|
| sleeping car | kuşetli vagon | kooshetli vagon |
| sleeping pills | uyku hapı | ooykoo hapuh |
| slide | slayt | slít |
| slip | jüpon | jewpon |
| slip road | tali yol | tahli yol |
| slow | yavaş | yavash |
| slow train | yolcu/posta treni | yoljoo/posta tReni |
| small | küçük | kewchewk |
| small change | bozuk para | bozook paRa |
| smell | kokmak | kokmak |
| smoke | duman | dooman |
| smoke | sigara içmek | sigaRa ichmek |
| smoked | füme | fewmeh |
| smoking compartment | sigara içilebilen vagon | sigaRa ichilebilen vagon |
| snake | yılan | yuhlan |
| snorkel | snorkel | snoRkel |
| snow (verb) | kar yağmak | kaR ya:mak |
| snow | kar | kaR |
| snow chains | araba zinciri | aRaba zinjiRi |
| soap | sabun | saboon |
| soap box | sabun kutusu | saboon kootoosoo |
| soap powder | çamaşır tozu | chamashuhR tozoo |
| soccer | futbol | footbol |
| soccer match | futbol maçı | footbol machuh |
| socket | priz | pRiz |
| socks | çorap | choRap |
| soft drink | meşrubat | meshRoobat |
| sole | taban | taban |
| sole (fish) | dil balığı | dil baluh:uh |
| solicitor | avukat | avookat |
| someone | biri | biRi |
| sometimes | bazen | bazen |
| somewhere | bir yerde | biR yeRdeh |
| son | oğul | o:ool |
| soon | biraz sonra | biRaz sonRa |
| sorbet | şerbet | sheRbet |
| sore | yara | yaRa |
| sore throat | boğaz ağrısı | bo:az a:Ruhsuh |
| sorry | özür dilerim | urzewR diliRim |
| sort | çeşit | cheshit |
| soup | çorba | choRba |
| sour | ekşi | ekshi |
| source | kaynak | kínak |
| south | güney | gewney |
| souvenir | hediyelik eşya | hediyelik eshya |
| spaghetti | spagetti | spaget-ti |
| spanner (open ended) | İngiliz anahtarı | ingiliz anaHtaRuh |
| spanner | cıvata anahtarı | juhvata anaHtaRuh |
| spare | yedek | yedek |
| spare parts | yedek parça | yedek paRcha |
| spare tyre | yedek lastik | yedek lastik |
| spare wheel | yedek tekerlek | yedek tekeRlek |
| speak | konuşmak | konooshmak |
| special | özel | urzel |
| specialist | uzman | oozman |
| speciality | spesiyalite | spesiyaliteh |

| English | Turkish | Pronunciation |
|---|---|---|
| speed limit | azami hız | azami huhz |
| spell | hecelemek | hejelemek |
| spicy | baharatlı | ba-haRatluh |
| splinter | kıymık | kuhymuhk |
| spoon | kaşık | kashuhk |
| spoonful | kaşık dolusu | kashuhk doloosoo |
| sport | spor | spoR |
| sports centre | spor merkezi | spoR meRkezi |
| spot | yer | yeR |
| sprain | burkmak | booRkmak |
| spring | ilkbahar | ilkba-haR |
| square | meydan | meydan |
| square (geometric) | kare | kaReh |
| square metres | metre kare | metReh kaReh |
| squash, to play | skuoş oynamak | skoo-osh oynamak |
| stadium | stadyum | stad-yoom |
| stain | leke | lekeh |
| stain remover | leke giderici | lekeh gideRiji |
| stairs | merdiven | meRdiven |
| stalls | salon | salon |
| stamp | posta pulu | posta pooloo |
| start | çalıştırmak | chaluhshtuhRmak |
| station | istasyon | istasyon |
| statue | heykel | heykel |
| stay (verb) | kalmak | kalmak |
| stay | zaman | zaman |
| steal | çalmak | chalmak |
| steel | çelik | chelik |
| stench | pis koku | pis kokoo |
| sting (insect only) | ısırmak | uhsuhRmak |
| stitch (med.) | dikiş | dikish |
| stitch (verb) | dikmek | dikmek |
| stock | et suyu | et soo-yoo |
| stockings | çorap | choRap |
| stomach | mide | mideh |
| stomach ache | mide ağrısı | mideh a:Ruhsuh |
| stomach cramps | karın spazmi | kaRuhn spazmi |
| stools | dışkı | dushkuh |
| stop (verb) | durmak | dooRmak |
| stop | durak | dooRak |
| stopover | aktarma | aktaRma |
| storm | fırtına | fuhRtuhna |
| straight | doğru | do:Roo |
| straight ahead | doğru | do:Roo |
| straw | kamış | kamuhsh |
| strawberries | çilek | chilek |
| street | sokak | sokak |
| street side | sokağa bakan | soka:a bakan |
| strike | grev | gRev |
| strong (tea) | demli | demli |
| study | okumak | okoomak |
| stuffing | içi | ichi |
| subscriber's number | abone telefon numarası | aboneh telefon noomaRasuh |
| subtitled | alt yazılı | alt yazuhluh |
| succeed | başarmak | bashaRmak |
| sugar | şeker | shekeR |

| | | |
|---|---|---|
| sugar lumps | kesmeşeker | *kesmeshekeR* |
| suit | takım elbise | *takuhm elbiseh* |
| suitcase | bavul, valiz | *bavool, valiz* |
| summer | yaz | *yaz* |
| summertime | yaz mevsimi | *yaz mevsimi* |
| sun | güneş | *gewnesh* |
| sun hat | güneş şapkası | *gewnesh shapkasuh* |
| sunbathe | güneşlenmek | *gewneshlenmek* |
| Sunday | pazar | *pazaR* |
| sunglasses | güneş gözlüğü | *gewnesh gurzlew:ew* |
| sunrise | gün doğması | *gewn do:masuh* |
| sunset | gün batımı | *gewn batımı* |
| sunstroke | güneş çarpması | *gewnesh chaRpmasuh* |
| suntan lotion | güneş kremi | *gewnesh kRemi* |
| suntan oil | güneş yağı | *gewnesh ya:uh* |
| supermarket | süpermarket | *sewpeRmaRket* |
| surcharge | ek | *ek* |
| surf | sörf yapmak | *surRf yapmak* |
| surf board | sörf kayağı | *surf ka-ya:uh* |
| surgery | muayene odası | *moo-a-yeneh odasuh* |
| surname | soyadı | *soyaduh* |
| surprise | sürpriz | *sewRpriz* |
| swallow | yutmak | *yootmak* |
| swamp | bataklık | *batakluh* |
| sweat | ter | *teR* |
| sweet (charming) | şekerli | *shekeRli* |
| sweet (pudding) | şirin | *shiRin* |
| sweet | tatlı | *tatluh* |
| sweet corn | mısır | *muhsuhR* |
| sweeteners | tatlılaştırıcı | *tatlulashtuhRuhjuh* |
| sweets | şekerleme | *shekeRlemeh* |
| swim | yüzmek | *yewzmek* |
| swimming pool | yüzme havuzu | *yewzmeh havoozoo* |
| swimming trunks | mayo | *ma-yo* |
| swindle | dolandırıcılık | *dolanduhRuhjuhluhk* |
| switch | şalter | *shalteR* |
| synagogue | sinagog | *sinagog* |

## T

| | | |
|---|---|---|
| table | masa | *masa* |
| table tennis (to play) | masa tenisi oynamak | *masa tenisi oynamak* |
| tablet | ilaç tableti | *ilach tableti* |
| take | almak | *almak* |
| take pictures | fotoğraf çekmek | *foto:Raf chekmek* |
| taken | dolu | *doloo* |
| talcum powder | talk pudrası | *talk poodRasuh* |
| talk | konuşmak | *konooshmak* |
| tall | uzun boylu | *oozoon boyloo* |
| tampons | tamponlar | *tamponlaR* |
| tanned | bronzlaşmış | *bRonzlashmuhsh* |
| tap | musluk | *mooslook* |
| tap water | musluk suyu | *mooslook soo-yoo* |
| taste | güzel zevk | *gewzel zevk* |
| tax free shop | gümrüksüz mağaza | *gewmRewksewz ma:aza* |
| taxi | taksi | *taksi* |
| taxi stand | taksi durağı | *taksi dooRa:uh* |

Word list

15

| tea | çay | chí |
| teapot | çaydanlık | chídanluhk |
| teaspoon | çay kaşığı | chí kashuh:uh |
| teat (baby's bottle) | plastik meme | plastik memeh |
| telegram | telgraf | telegRaf |
| telephoto lens | teleobjektif | tele-obzhektif |
| television | televizyon | televizyon |
| telex | teleks | teleks |
| temperature | sıcaklık | suhjakluhk |
| temporary filling | geçici dolgu | gechiji dolgoo |
| tender | yumuşak | yoomooshak |
| tennis ball | tenis topu | tenis topoo |
| tennis court | tenis kortu | tenis koRtoo |
| tennis racket | tenis raketi | tenis raketi |
| tenpin bowling | bovling | bohling |
| tent | çadır | chaduhR |
| tent peg | çadır kazığı | chaduhR kazuh:uh |
| terrace | teras | teRas |
| terribly | müthiş | mewt-hish |
| thank | teşekkür etmek | teshek-kewR etmek |
| thank you | teşekkür ederim | teshek-kewR edeRim |
| thanks | teşekkürler | teshek-kewRleR |
| thaw | erimek | eRimek |
| theatre | tiyatro | tiyatRo |
| theft | hırsızlık | huhRsuhzluhk |
| there | orada | oRada |
| thermal bath | kaplıca | kapluhja |
| thermometer | termometre | teRmometReh |
| thick | kalın | kaluhn |
| thief | hırsız | huhRsuhz |
| thigh | üst bacak | ewst bajak |
| thin | ince | injeh |
| things | eşya | eshya |
| think | düşünmek | dewshewnmek |
| third | üçte biri | ewchteh biRi |
| thirsty, to be | susamış olmak | soosamuhsh olmak |
| this afternoon | bugün öğleden sonra | boogewn urleden sonRa |
| this evening | bu akşam | boo aksham |
| this morning | bu sabah | boo sabaH |
| thread | iplik | iplik |
| throat | boğaz | bo:az |
| throat lozenges | pastil | pastil |
| throw up | kusmak | koosmak |
| thunderstorm | fırtına | fuhRtuhna |
| Thursday | perşembe | peRshembeh |
| ticket (admission) | bilet | bilet |
| ticket (travel) | bilet | bilet |
| tickets | biletler | biletleR |
| tidy (verb) | toplamak | toplamak |
| tie | kravat | kRavat |
| tights | külotlu çorap | kewlotloo choRap |
| time | zaman | zaman |
| times | kere, defa | keReh, defa |
| timetable | tarife | taRifeh |
| tin | konserve | konseRveh |
| tip | bahşiş | baH-shish |
| tissues | kağıt mendil | ka:uht mendil |

| | | |
|---|---|---|
| toast | kızarmış ekmek | kuhzaRmuhsh ekmek |
| tobacco | tütün | tewtewn |
| toboggan | kızak | kuhzak |
| today | bugün | boogewn |
| toe | ayak parmağı | a-yak paRma:uh |
| together | beraber | beRabeR |
| toilet | tuvalet | too-alet |
| toilet paper | tuvalet kağıdı | too-alet ka:uhduh |
| toilet seat | tuvalet oturağı | too-alet otooRa:uh |
| toiletries | kozmetik malzemeleri | kozmetik malzemeleRi |
| tomato | domates | domates |
| tomato purée | domates salçası | domates salchasuh |
| tomato sauce | domates sosu | domates sosoo |
| tomorrow | yarın | yaRuhn |
| tongue | dil | dil |
| tonic water | tonik | tonik |
| tonight | bu gece | boo gejeh |
| too much | fazla | fazla |
| tools | araç gereç | aRach geRech |
| tooth | diş | dish |
| toothache | diş ağrısı | dish a:Ruhsuh |
| toothbrush | diş fırçası | dish fuhRchasuh |
| toothpaste | diş macunu | dish majoonoo |
| toothpick | kürdan | kewRdan |
| top up | doldurmak | doldooRmak |
| total | toplam | toplam |
| tough | sert | seRt |
| tour | tur | tur |
| tour guide | tur rehberi | tooR reHbeRi |
| tourist card | turist kartı | tooRist kaRtuh |
| tourist class | turistik sınıf | tooRistik suhnuhf |
| Tourist Information office | danışma bürosu | danuhshma bewRosoo |
| tourist menu | turistik menü | tooRistik menew |
| tow | çekmek | chekmek |
| tow cable | çekme halatı | chekmeh halatuh |
| towel | havlu | havloo |
| tower | kule | kooleh |
| town | kasaba | kasaba |
| town hall | belediye sarayı | belediyeh saRí-uh |
| toys | oyuncak | oyoonjak |
| traffic | trafik | tRafik |
| traffic light | trafik ışıkları | tRafik uhshuhklaRuh |
| trailer tent | açılır kapanır karavan | achuhluhR kapanuhR kaRavan |
| train | tren | tRen |
| train ticket | tren bileti | tRen bileti |
| train timetable | tren tarifesi | tRen taRifesi |
| training shoes | spor ayakkabısı | spoR a-yak-kabuhsuh |
| translate | tercüme etmek | teRjewmeh etmek |
| travel | seyahat etmek | seya-hat etmek |
| travel agent | seyahat acentası | seya-hat ajentasuh |
| travel guide | seyahat rehberi | seya-hat reHbeRi |
| traveller | yolcu | yoljoo |
| traveller's cheque | seyahat çeki | seya-hat cheki |
| treacle/syrup | şeker pekmezi/şurup | shekeR pekmezi/shooRoop |
| treatment | tedavi | tedahvi |

Word list

15

| triangle | üçgen | ewchgen |
| trim | ucundan almak | oojoondan almak |
| trip | gezi | gezi |
| trouble | şikayet | shika-yet |
| trout | alabalık | alabaluhk |
| trunk call | şehirlerarası telefon | she-hiRleRaRasuh |
| | konuşması | telefon konooshmasuh |
| trustworthy | güvenilir | gewveniliR |
| try on | denemek | denemek |
| tube | tüp | tewp |
| Tuesday | salı | saluh |
| tumble drier | çamaşır kurutma | chamashuhR |
| | makinesi | kooRootma |
| | | makinesi |
| tuna | ton balığı | ton baluh:uh |
| tunnel | tünel | tewnel |
| Turkish | Türkçe | tewRkcheh |
| turn | sıra | suhRa |
| TV | televizyon | televizyon |
| TV guide | televizyon rehberi | televizyon reHbeRi |
| tweezers | cımbız | juhmbuhz |
| tyre | dış lastik | duhsh lastik |
| tyre lever | salapurya | salapooR-ya |
| tyre pressure | hava basıncı | hava basuhnjuh |

## U

| ugly | çirkin | chiRkin |
| umbrella | şemsiye | shemsiyeh |
| under | ...altında | ...altuhnda |
| underground | metro | metRo |
| underground railway system | metro ağı | metRo a:uh |
| underground station | metro istasyonu | metRo istasyonoo |
| underpants | külot | kewlot |
| understand | anlamak | anlamak |
| underwear | iç çamaşırı | ich chamashuhRuh |
| undress | soyunmak | soyoonmak |
| unemployed | işsiz | ishsiz |
| uneven | pürüzlü | pewRewzlew |
| university | üniversite | ewniveRsiteh |
| unleaded | kurşunsuz benzin | kooRshoonsooz benzin |
| up | yukarı | yookaRuh |
| urgent | acil | ah-jil |
| urgently | acilen | ahjilen |
| urine | idrar | idRaR |
| usually | çoğunlukla | cho:oonlookla |

## V

| vacate | boşaltmak | boshaltmak |
| vaccinate | aşılamak | ashuhlamak |
| vagina | vajina | vazhina |
| vaginal infection | vajinal enfeksiyon | vazhinal enfeksiyon |
| valid | geçerli | gecheRli |
| valley | vadi | vadi |
| valuable | değerli | de:eRli |
| van | kamyonet | kam-yonet |
| vanilla | vanilya | vanilya |

| | | |
|---|---|---|
| vase | vazo | *vazo* |
| vaseline | vazelin | *vazelin* |
| veal | dana eti | *dana eti* |
| vegetable soup | sebze çorbası | *sebzeh choRbasuh* |
| vegetables | sebze | *sebzeh* |
| vegetarian | vejetaryen | *vezhetaR-yen* |
| vein | damar | *damaR* |
| (vending) machine | otomatik satış makinesi | *otomatik satuhsh makinesi* |
| venereal disease | cinsel hastalık | *jinsel hastaluhk* |
| via | ...yoluyla | *...yolooyla* |
| video recorder | video | *video* |
| video tape | video kaseti | *video kaseti* |
| view | manzara | *manzaRa* |
| village | köy | *kuhy* |
| visa | vize | *vizeh* |
| visit | ziyaret etmek | *ziyaRet etmek* |
| vitamin tablets | vitamin hapları | *vitamin haplaRuh* |
| vitamins | vitamin | *vitamin* |
| volcano | yanardağ | *yanaRda:* |
| volleyball | voleybol | *voleybol* |
| vomit | istifrağ etmek | *istifRa: etmek* |

# W

| | | |
|---|---|---|
| wait | beklemek | *beklemek* |
| waiter | garson | *gaRson* |
| waiting room | bekleme odası | *beklemeh odasuh* |
| waitress | bayan garson | *ba-yan gaRson* |
| wake up | uyandırmak | *ooyanduhRmak* |
| walk | yürüşmek | *yewRewshmek* |
| walk | yürümek | *yewRewmek* |
| wallet | cüzdan | *jewzdan* |
| wardrobe | elbise dolabı | *elbiseh dolabuh* |
| warm | ılık | *uhluhk* |
| warn | uyarmak | *ooyaRmak* |
| warning | uyarı | *ooyaRuh* |
| wash | yıkamak | *yuhkamak* |
| washing powder | çamaşır tozu | *chamashuhR tozoo* |
| washing | çamaşır | *chamashuhR* |
| washing line | çamaşır ipi | *chamuhshuhR ipi* |
| washing machine | çamaşır makinesi | *chamashuhR makinesi* |
| wasp | eşek arısı | *eshek aRuhsuh* |
| watch | kol saati | *kol sahti* |
| water | su | *soo* |
| water ski | su kayağı yapmak | *soo ka-ya:uh yapmak* |
| waterproof | su geçirmez | *soo gechiRmez* |
| wavepool | suni dalgalı havuz | *sooni dalgaluh havooz* |
| way | yol | *yol* |
| we | biz | *biz* |
| weak (tea) | açık | *achuhk* |
| weather | hava | *hava* |
| weather forecast | hava raporu | *hava rapoRoo* |
| wedding | düğün | *dew:ewn* |
| Wednesday | çarşamba | *chaRshamba* |
| week | hafta | *hafta* |
| weekend | hafta sonu | *hafta sonoo* |
| weekend duty | hafta sonu nöbeti | *hafta sonoo nurbeti* |

| weekly ticket | haftalık abone bileti | haftaluhk aboneh bileti |
|---|---|---|
| welcome | hoş geldiniz | hosh geldiniz |
| well | iyi | iyi |
| west | batı | batuh |
| wet | ıslak | ihslak |
| wet (weather) | yağmurlu | ya:mooRloo |
| wetsuit | sörf kıyafeti | surRf kuhyafeti |
| what? | ne? | neh? |
| wheel | tekerlek | tekeRlek |
| wheelchair | tekerlekli sandalye | tekeRlekli sandal-yeh |
| when? | ne zaman? | neh zaman? |
| where? | nerede? | neRedeh? |
| which? | hangi? | hangi? |
| whipped cream | krem şanti | kRem shanti |
| white | beyaz | beyaz |
| white-haired | ak saçlı | ak sachluh |
| who? | kim? | kim? |
| wholemeal | kepekli | kepekli |
| wholemeal bread | kepekli ekmek | kepekli ekmek |
| why? | niçin? | nichin? |
| wide angle lens | geniş açılı mercek | genish achuhluh meRjek |
| widow | dul | dool |
| widower | dul | dool |
| wife | eş | esh |
| wind | rüzgar | rewzgaR |
| windbreak | rüzgarlık | rewzgaRluhk |
| windmill | değirmen | de:iRmen |
| window | pencere | penjeReh |
| window (pay desk) | gişe, vezne | gisheh, vezneh |
| windscreen wiper | cam sileceği | jam sileje:i |
| wine | şarap | shaRap |
| wine glass | şarap bardağı | shaRap baRda:uh |
| wine list | şarap listesi | shaRap listesi |
| winter | kış | kuhsh |
| witness | görgü tanığı | gurRgew tanuh:uh |
| woman | kadın | kaduhn |
| wonderful | şahane | sha-haneh |
| wood | tahta | taHta |
| wool | yün | yewn |
| word | sözcük, kelime | surzjewk, kelimeh |
| work | iş | ish |
| working day | iş günü | ish gewnew |
| worn | aşınmış | ashuhnmuhs |
| worried | endişeli | endisheli |
| wound | yara | yaRa |
| wrap | paketlemek | paketlemek |
| wrist | bilek | bilek |
| write | yazmak | yazmak |
| write down | not etmek | not etmek |
| writing pad | bloknot | bloknot |
| writing paper | dosya kağıdı | dosya ka:uhduh |
| written | yazılı | yazuhluh |
| wrong | yanlış | yanluhsh |

# Y

| | | |
|---|---|---|
| yacht | yat | *yat* |
| year | sene, yıl | *seneh, yuhl* |
| yellow | sarı | **saRuh** |
| yes | evet | *evet* |
| yes, please | lütfen | *lewtfen* |
| yesterday | dün | *dewn* |
| yoghurt | yoğurt | *yo:ooRt* |
| you | siz | *siz* |
| you too | size de | *sizeh deh* |
| youth hostel | gençlik yurdu | *genchlik yooRdoo* |

# Z

| | | |
|---|---|---|
| zip | fermuar | *feRmooaR* |
| zoo | hayvanat bahçesi | *hívanat baHchesi* |

# Basic grammar

## 1 The importance of suffixes, and their varying forms

A very distinctive feature of Turkish is the way it builds up increasingly complex meanings from simple words. This is done with suffixes – either in the middle of words or on the end. English, in contrast, adds other, quite separate words for the same effect, eg:

| Eng. | Turk. |
|------|-------|
| I am going | **gidiyorum** |
| I am not going | **gitmiyorum** |
| I will be able to go | **gidebileceğim** |

However, these suffixes change their form to echo the vowels in the particular words in which they occur. Plurals, for instance, can end in **-ler** or **-lar**.

Another example is the 'detached' question suffix with four variants. In the 'you' form, polite or plural, these are: **misiniz, mısınız, müsünüz** and **musunuz**. Choosing the right one rapidly becomes instinctive, but it is first necessary to understand what determines the variant.

## 2 Vowel harmony

Vowels are classed as front or back. Front vowels are **e, i, ö** and **ü**; back vowels are **a, ı, o** and **u**. A native Turkish word is made up solely of either front or back vowels (e.g. **güneşli**, sunny) – it never mixes front and back – and all suffixes must obey a similar harmony. The only exceptions are foreign loan words.

There are two typical variations of suffix harmony: in the first, all front vowels are echoed by **e**, and all back vowels by **a** (giving plurals **-ler** and **-lar**). In the second type, the last syllable in the root word is echoed, and this is how:
**e** and **i** are echoed by **i**
**ö** and **ü** by **ü**
**a** and **ı** by **ı**
**o** and **u** by **u**

These shape the question suffixes:

| | | | |
|------|------|------|------|
| **güzel mi?** | is it beautiful? | **sütlü mü?** | is it milky? |
| **kırmızı mı?** | is it red? | **bozuk mu?** | is it broken? |

They also shape the personal suffixes. After a consonant, and where the last vowel was **e** or **i** these are:
**-im** (my), **-in** (your), **-i** (his, hers, its),
**-imiz** (our) **-iniz** (polite 'your' singular, or 'your' plural) and **-leri** (their)

With **iş** (job) this gives:
**işim** (my job) **işin** (your job) **işi** (her job)
**işimiz** (our job) **işiniz** (your job) **işleri** (their job)

But the echo changes as the vowel changes: **buzum** - my ice (**buz** = ice), **gülün** - your rose (**gül** = rose) and **atı** - his horse (**at** = horse).

Note that **-leri** is slightly different – it has only two forms. It is **-leri** for all front-vowel words, and **ları** for all back vowels.

## 3 The missing verbs: 'to be' and 'to have'

This is perhaps the moment to point out that there is no verb 'to have' in Turkish, nor is there a 'to be' either – or not in the present tense, at least. Instead another, slightly different set of suffixes is added to nouns or adjectives – again with the same four-fold echo. These are (after an **i** or **e**):

**-(y)im** – I am; **-sin** – you are; **-dir** (very often omitted) he, she it is; **-(y)iz** – we are; **-siniz** – you are (plural or polite form); **-(dir)ler** – they are.

Examples are:
**iyiyim** (I am well)
**iyisin** (you are well)
**iyi misin?** (are you well?)
**iyi** (he, she is well), etc.
But the harmonising echoes also give:

| | |
|---|---|
| **Türksün** | you are Turkish |
| **kadınsın** | you are a woman |
| **adam mısın?** | are you a man? and so on. |

Two very useful words supplement these suffixes:

**var** (there is, there are) and **yok** (there is no, there are no).

**Para var** means there is money, and **para yok** means 'there is no money'.

But if the personal suffixes (see previous section) are combined with **para,** there is a complete change of meaning. The effect is the same as our verb 'to have'.

**Param var** means 'I have (some) money', and **param yok** is 'I have no money'. The same harmonising echoes recur: **arkadaşın** var (you have a friend), **sorunu** var (he, she has a problem) and then again **Çözümüz var** (we have a solution). (Root words are **arkadaş, sorun** and **çözüm**.)

## 4 Direct objects, 'to', 'from' and 'at'

The direct object of the sentence ('the man' in the sentence 'I saw the man') is modified in form if its English equivalent has the article 'the', 'my' (etc) or is a person's name, and not if it goes with 'a' or 'some'. The suffix which modifies the direct object has eight different variants - **(y)i, -(y)ı, -(y)ö,** or **-(y)u.**

Examples: **annemi gördüm** - I saw my mother (**anne** = mother); **Fatmayı gördüm** - I saw Fatma; but **bir kedi gördüm** - I saw a cat (**kedi** = cat). Note that the verb is at the end of the sentence, which is its normal position.

'To', 'from' and 'at' are expressed in Turkish with suffixes obeying the same two-fold -e/-a harmony mentioned above. Using **ey** (home/house) and **okul** (school):

eve = to home/the house
evden = from home/the house
evde = at home/the house

okula = to (the) school
okuldan = from (the) school
okulda = at (the) school

## 5 'You' - polite and familiar forms

Turkish is very like French, German and Italian in having polite and
familiar forms of 'you' and 'your'. With people who know each other
well, or are in informal situations, the familiar form is natural. If in any
doubt, however, be polite.

## 6 More about verbs and tenses...

Here is another verb form using endings somewhat similar to those
already illustrated for the present tense of 'to be'. It is shown with a
front-vowel verb (**görmek** - to see) and a back-vowel verb
(**yapmak** - to do).

The present continuous tense: 'I see/am seeing' - 'I do/am doing'

| | |
|---|---|
| görüyorum | görüyoruz |
| yapıyorum | yapıyoruz |
| görüyorsun | görüyorsunuz |
| yapıyorsun | yapıyorsunuz |
| görüyor | görüyorlar |
| yapıyor | yapıyorlar |

### ... and ever increasing complexities

Different suffixes provide all the different forms which verbs need to
take; in every case the meaning is contained in a single word (except in
the case of the detached question suffixes mentioned above).

Here are some examples:

| | |
|---|---|
| -ecek/-acak | the future tense |
| -di, -dı, -dü, -du | the past tense |
| -meli/-malı | should or ought |
| -iyordu | past continuous |
| -ebil/-abi | I can, be able |

eg(using **gelmek** to come) **gelecek** (he will come) **geldi** (he came)
**gelmeli** (he ought to come) **geliyordu** (he was coming) **gelebilir** (he can
or may come).

There are several combinations of tenses like -**iyordu**. One very useful
such combination is the future-in-the-past -**ecekti** (the **d** of -**di** becomes
a **t** in order to harmonise with the unvoiced **k**). It means 'I was going
to'.

Others, much less commonly used, can give very subtle shades of
meaning, such as 'I may not be able to', and 'I gather that I may not
be able to'; there is even a tense with the meaning 'I am (quite) able
not to' or 'it is possible that I am not' again using just a single word
(eg **gelmiyebilirim**). But the beauty is that these complexities are built
out of basic components and a remarkably simple logic.